LE SOMMEIL, C'EST VITAL

DOCTEUR GÉRARD PACAUD

LE SOMMEIL, C'EST VITAL

Comprendre et vaincre les insomnies grâce aux médecines douces

MARABOUT

Du même auteur chez Marabout :

Guide de l'homéopathie (2000)
L'Alternative aux antibiotiques (Poche, 2005)
Se soigner par l'homéopathie (Poche, 2006)
Homéopathie, mode d'emploi (Marabout pratique, 2006)
Aux petits maux les bons remèdes (Poche, 2007)

Sommaire

Prologue 9

Comprendre le sommeil 15
Sommeil et rêves à travers l'histoire 15
Veille et sommeil 21
Une nécessité vitale 22
Stades, cycles et rythmes 23
La durée du sommeil 31
Le sommeil selon l'âge 35
La régulation veille/sommeil 44
Autres modalités du sommeil 48
Le sens du sommeil et des rêves 61
Le sommeil des animaux 66

Comprendre l'insomnie 73
Définir l'insomnie 73
Les modalités de l'insomnie 76
Quelques causes d'insomnies 79
L'insomnie : symptôme ou maladie ? 85
Les maladies du cycle veille/sommeil 87
Le diagnostic de l'insomnie 93

Traiter l'insomnie 95
Avant toute médication 95
Les médicaments conventionnels 97
Les autres remèdes 103
Les traitements non médicamenteux 167
Les cliniques du sommeil 171

La stratégie 173
Pas d'hypnotiques 173
Prévention et automédication 173

Conclusion 181

Bibliographie 183

Table des matières 185

Prologue

Depuis 2006 et pour la première fois en France, le sommeil intéresse le ministère de la Santé, mais la nouvelle est passée presque inaperçue durant cette année-là. Les médias n'en ont pas parlé. Elle revêt pourtant une importance considérable.

Xavier Bertrand, alors ministre de la Santé et des Solidarités, a décidé de mettre en œuvre une politique de santé durable concernant le sommeil. Il a installé pour cela un groupe de réflexion qui a remis son rapport en décembre 2006. En janvier 2007, le ministre a présenté son plan d'action pour les deux années à venir (voir ci-dessous).

Il s'agit d'une vraie révolution.

Le sommeil est enfin pris en considération par la totalité des professionnels de la santé dans ses relations avec la vie quotidienne, dans ses relations avec les autres fonctions et les grandes pathologies de l'organisme, et dans sa dimension préventive, notamment concernant la conduite automobile.

Selon l'INSERM (Institut national de la santé et de la recherche médicale), 19 % des Français (12 millions de personnes) souffrent d'insomnies, dont 9 % d'insomnies sévères (5,4 millions de personnes). Si on inclut les autres troubles du sommeil (apnées du sommeil, syndrome des jambes sans repos et narcolepsie), on arrive à un total de 28 % (16,8 millions de personnes).

Il était temps qu'on s'y intéressât.

Faut-il, de plus, rappeler que la France est championne du monde de la consommation de somnifères avec plus de 1 milliard de comprimés ingurgités par an par 6 millions de personnes, soit trois fois plus que la moyenne des pays occidentaux ?

On peut se demander comment on a si longtemps négligé cette dimension capitale de la vie. Le sommeil occupe en effet le tiers de notre existence : sur une vie de 90 ans, nous en passons 30 à dormir. Et contrairement à une opinion trop souvent entendue, ce n'est pas du temps perdu. Il est même possible d'affirmer que la qualité de notre vie diurne dépend très étroitement de la qualité de notre sommeil.

Il faut donc s'inscrire en faux contre cette idée reçue selon laquelle il serait normal de mal dormir, que le sommeil serait variable selon les personnes et que l'on peut s'accommoder de nuits troublées par des épisodes d'insomnie.

Le sommeil est une fonction physiologique majeure qui permet d'équilibrer notre santé et qui peut avoir, en cas de troubles, un retentissement grave sur la vie des autres.

Depuis les travaux de quelques pionniers dans le monde au milieu du XXe siècle et ceux du Français Michel Jouvet à partir de 1958, le monde scientifique est en effervescence pour tenter de décrypter les mécanismes intimes du sommeil et des rêves. Les résultats s'accumulent, mais le cerveau garde encore la plus grande part de ses mystères.

Il reste que l'on devra bien accepter que le sommeil est intimement lié à notre vie biologique comme le rappelle le philosophe Alain : « Le sommeil, faites-y attention, est bien plus tyrannique que la faim. On conçoit un état où l'homme se nourrirait sans peine, n'ayant qu'à cueillir. Mais rien ne le dispense de dormir, rien n'abrégera le temps de dormir ; c'est le seul besoin peut-être auquel nos machines ne peuvent point pourvoir. Si fort, si audacieux, si ingénieux que soit l'homme, il sera sans perception, et par conséquent sans défense, pendant le tiers de sa vie. La société serait donc fille de peur, bien plutôt que de faim. »[1]

Cet ouvrage ouvre des pistes pour comprendre ce qu'est le sommeil, pour aider à défricher les zones d'ombres, pour proposer des solutions préventives et thérapeutiques concernant les insomnies.

Un programme révolutionnaire

En janvier 2007, Xavier Bertrand a présenté à la presse son programme sur deux ans concernant le sommeil et les insomnies. Il s'agit d'un tournant dans la reconnaissance du sommeil comme fonction physiologique majeure et de la médecine du sommeil comme spécialité à part entière.

Le ministre considère que le sommeil est un sujet de santé publique, un enjeu pour l'avenir, une véritable priorité. Il œuvre donc pour une reconnaissance institutionnelle du sommeil et de ses troubles.

Ses propositions consistent à réveiller les consciences concernant l'importance du sommeil dans l'équilibre de la santé par une information la plus large possible et à développer la prévention de ses troubles en donnant les moyens et les outils nécessaires aux professionnels de santé et aux chercheurs.

Durant le premier semestre 2007, des affiches ont été largement diffusées pour sensibiliser les parents et les jeunes concernant l'importance du temps de sommeil. À partir de juin 2007, une campagne de communication encore plus active a permis de diffuser une documentation à 1 million d'exemplaires dans les pharmacies et chez les professionnels de santé pendant que des spots radios incitaient les Français à ne pas banaliser les troubles du sommeil. Pendant le même temps, une campagne

1. Alain, *Les Idées et les Âges*, 1927.

dans les médias mettait l'accent sur les risques du sommeil au volant.

Enfin, un programme expérimental est lancé pour étudier les effets et les éventuels bienfaits de la sieste en entreprise.

Une enveloppe de 6 millions d'euros a été attribuée pour 2007 pour l'information et la formation concernant le sommeil et ses troubles. Elle a été renouvelée dans le budget 2008 et la ministre actuelle a reconduit toutes les propositions de Xavier Bertrand.

LE SOMMEIL, POURQUOI ?

Le sommeil semble aller de soi.

Tous les êtres humains dorment.

Il nous est familier depuis notre vie utérine.

Il est inévitable.

Tous les mammifères dorment.

Tous les oiseaux dorment.

Et aussi beaucoup d'autres animaux.

Le sommeil est donc depuis longtemps inscrit dans le processus de l'évolution.

On dort, en effet, quand on est fatigué, pour récupérer, semble-t-il, réorganiser son énergie. Mais est-ce bien sûr ? L'explication est-elle suffisante ? Il semble presque aussi naturel de dormir que de constater que l'on respire ou que notre cœur bat. Notre corps est capable de nous signaler la nécessité du sommeil et, même si nous pouvons, pendant quelque temps, résister à ses injonctions, nous cédons assez rapidement pour éviter les désagréments induits par le manque.

Prologue

Car si le sommeil apparaît comme une fonction génétiquement programmée facilement observable chez presque tous les mammifères, les troubles de cette fonction sont tout aussi évidents. Regroupés sous le terme d'insomnie ou de troubles du sommeil, ils peuvent prendre plusieurs formes et occasionner bien des soucis.

Cette fonction majeure de notre corps, orchestrée par notre cerveau, comporte un temps particulièrement étrange : celui des rêves. Malgré ces caractéristiques, elle n'est jamais enseignée ni à l'école ni au lycée, et la faculté de médecine est très parcimonieuse en nombre d'heures dispensées aux futurs médecins.

Il est vrai qu'il n'est pas très facile de décrypter les circuits et connexions complexes qui, dans les cellules nerveuses (les neurones), échangent leurs signaux pour assurer un équilibre entre nos phases de veille et celles de sommeil. Il est encore plus vrai que le mystère des rêves reste entier malgré les efforts méritoires déployés par les psychanalystes et les neurobiologistes.

Avec le sommeil et son aspect pathologique, l'insomnie, nous abordons des territoires de la connaissance encore très peu explorés. Cela fait leur charme, mais rend également difficile l'accès de ce domaine au grand public.

Il faut cependant relever ce défi. Parce que le sommeil et ses troubles sont en connexion étroite avec beaucoup d'autres maladies mais aussi avec de nombreux comportements qui peuvent perturber notre vie quotidienne.

Si les cinquante dernières années ont été fertiles en découvertes dans ce domaine, les cinquante prochaines nous réservent certainement bien plus de surprises. Le temps n'est plus très loin où l'on pourra dire : « Dis-moi comment tu dors, je te dirai comment tu vis. »

COMPRENDRE LE SOMMEIL

SOMMEIL ET RÊVES À TRAVERS L'HISTOIRE

L'ANTIQUITÉ

Si sommeil et mort sont étroitement associés dans l'inconscient collectif, c'est sans doute à cause de nos lointains ancêtres. En effet, dans la mythologie, où les dieux sont intimement mêlés à la vie quotidienne, Hypnos, le dieu grec du Sommeil, est le frère jumeau de Thanatos, celui de la Mort. Tous deux sont fils incestueux d'Érèbe, divinité des Ténèbres infernales, et de sa sœur Nyx, la Nuit. Ces parentés imaginaires continuent sans doute d'alimenter les réflexions des psychanalystes en quête du sens de nos rêves et de nos comportements irrationnels.

DEUX MILLE ANS D'EXPECTATIVE

D'Hippocrate à Hans Berger, au début du XXe siècle, le cerveau, donc le sommeil, reste inexploré, sauf durant le XIXe siècle sous l'angle de l'anatomie, de l'histologie et d'un début d'électrophysiologie. On ne connaît alors rien de précis concernant son fonctionnement du fait de l'insuffisance des moyens scientifiques d'exploration. En revanche, les rêves continuent d'exciter l'imagination des écrivains, des poètes et des médecins.

L'ÉPOQUE MODERNE

Les premiers pas

En 1924, Hans Berger, un psychiatre, réussit à amplifier et à recueillir l'activité électrique cérébrale, pourtant de très faible intensité (quelques microvolts), et effectue le premier enregistrement électroencéphalographique en démontrant que les variations électriques mesurées sont bien en relation avec l'activité de l'esprit (EEG). Cette découverte est très controversée et il faut attendre 1934 pour que le travail de pionnier de Berger soit validé.

En 1937, le Congrès de Paris consacre l'auteur et sa découverte. Très vite, le système d'enregistrement est alors perfectionné.

De 1934 à 1938, Alfred Loomis et ses élèves, Harvey et Hobart, effectuent un travail systématique et décrivent les différents stades du sommeil.

Repris avec du matériel très amélioré dans les années 50 par Nataniel Kleitman et William Dement, ces travaux sont complétés, et Eugen Aserinsky, élève de Kleitman, focalise son travail sur l'activité des globes oculaires qui accompagne parfois certaines phases du sommeil, notamment, de façon surprenante, à la fin du sommeil profond, juste avant le réveil. Ce nouveau phénomène est appelé REM (*rapid eyes movements*) en anglais et PMO (phase de mouvements oculaires) en français.

William Dement démontre alors que les REM, ou PMO, sont concomitants des rêves. Il met ainsi en évidence la réalité d'un sommeil « actif » très différent du sommeil profond, beaucoup plus passif.

En France, Michel Joubert démontre sur le chat que la privation artificielle de cette phase de sommeil « actif » conduit à la mort de l'animal. En 1959, il l'appelle « sommeil paradoxal ». C'est la phase du rêve.

Les microcapteurs

Depuis une cinquantaine d'années, de nombreuses observations effectuées soit sur l'animal, soit sur l'homme au cours d'interventions neurochirurgicales ont bénéficié des microtechniques utilisant de très petites électrodes qui envoient des signaux très sélectifs dans des zones cérébrales très ciblées. Elles ont ainsi permis de mettre en évidence plusieurs neuromédiateurs impliqués dans les mécanismes du sommeil.

La biologie moléculaire

La percée spectaculaire de la biologie moléculaire dans les années 60 a alimenté l'espoir d'obtenir très rapidement des résultats concernant la biochimie du sommeil en utilisant des molécules de plus en plus spécifiques pour bloquer certaines activités du cerveau. C'est ainsi qu'on a pu redresser des erreurs et démontrer, par exemple, qu'il n'y a pas de système d'éveil unique dans la partie centrale du tronc cérébral. Mais la complexité cérébrale limite ces modes d'investigations.

L'imagerie cérébrale

D'apparition récente, les deux principales techniques d'imagerie cérébrale, l'imagerie à résonance magnétique fonctionnelle (IRMF) et la tomographie par émission de positon (TEP), sont en passe de révolutionner nos connaissances sur le sommeil. En effet, le fait qu'elles soient non intrusives permet des enregistrements sur l'homme sans aucun risque, donc de pouvoir glaner une riche moisson d'informations pendant des durées très longues (une nuit par exemple).

L'IRMF permet d'identifier les zones cérébrales activées à un moment précis en y mesurant une augmentation du débit du sang. On peut ainsi repérer une zone à un moment précis du sommeil.

Le TEP permet de suivre le devenir d'une molécule biologiquement active et faiblement radioactive, notamment dans le cerveau.

Cependant, ces deux techniques, surtout le TEP, sont relativement lourdes à mettre en œuvre et elles ont encore une résolution trop faible, de l'ordre du millimètre alors que le diamètre moyen d'un neurone (la cellule cérébrale) est de 30 micromètres (1 micromètre = 1 millième de millimètre). Quelques millimètres, à l'échelle des cellules cérébrales, représentent un continent !

LE SOMMEIL DES HOMMES CÉLÈBRES

Les récits historiques parlent peu du sommeil du peuple, mais sont en revanche très diserts concernant les hommes qui ont marqué leur époque.

Napoléon

Que n'a-t-on écrit sur le sommeil de Napoléon, qui prétendait le maîtriser comme il maîtrisait ses troupes, ses sujets et l'Europe. Il est présenté comme un petit dormeur capable de se coucher tard, de se lever après 2 ou 3 heures de sommeil pour se remettre au travail, et de se recoucher pour une nouvelle courte période. En fait, une étude approfondie des documents de l'époque permet de suggérer que l'Empereur, à partir de la quarantaine, souffrait vraisemblablement d'apnées du sommeil (*cf.* p. 89-91), qui s'accompagnent de ronflements et entraînent une hypersomnie durant la journée sous forme d'endormissements subits suivis, après quelques minutes, d'un réveil rapide et parfaitement lucide. Ces épisodes non traités auraient été une des causes de la fatigabilité croissante de Napoléon et, peut-être, de certaines erreurs stratégiques aux conséquences désastreuses.

Paul Deschanel

Il était président de la République lorsque le 23 mai 1920, il fut retrouvé marchant en pyjama le long d'une voie ferrée près de Montargis. Victime d'une crise de somnambulisme (*cf.* p. 58), il serait tombé du wagon présidentiel sur la voie durant la nuit, alors qu'il allait à Montbrisson inaugurer une statue. Il n'est pas le seul à qui une telle mésaventure soit arrivée et c'est le poète grec Homère, dans *L'Odyssée*, qui relate le premier, plusieurs siècles avant Jésus-Christ, une situation analogue.

> « Il y avait parmi eux un jeune homme nommé Elpénor [...], qui, ayant pris trop de vin la veille, était monté en haut de la maison pour chercher le frais, et s'était endormi. Le matin, réveillé en sursaut par le bruit et le tumulte que faisaient ses compagnons, il se leva, et comme il était encore à moitié endormi, au lieu de prendre le chemin de l'escalier, il marcha tout droit devant lui, tomba du toit, et se rompit le cou. »
>
> Homère, *Odyssée*, chant X

Par chance, le président ne fut pas blessé et il s'agit d'un trouble très anodin en lui-même (mais qui peut être lourd de conséquences traumatiques), qui ne remet pas en question l'intégrité mentale d'une personne. On le nomme le syndrome d'Elpénor, du nom du personnage grec cité par Homère. Mais la presse s'empara de l'événement pour alimenter les pires rumeurs. Le président serait devenu fou. On l'aurait vu grimper aux arbres dans le château de Rambouillet. Il aurait reçu une délégation étrangère dans le costume d'Adam. Il se serait pris pour Napoléon.

Le 21 septembre de la même année, Paul Deschanel démissionna et il ne put jamais retrouver sa réputation.

Winston Churchill

Les historiens lui ont fait la réputation d'un petit dormeur capable de travailler énormément, apparemment sans fatigue. La célèbre bataille d'Angleterre durant la dernière guerre mondiale, alors que Londres était sous la menace permanente des fusées allemandes, a accrédité sa réputation de résistance exceptionnelle aux tentations du sommeil. Il pouvait vraisemblablement passer des nuits blanches sans que cela altère son pouvoir de décision en ces périodes tragiques. Mais on oublie souvent de préciser qu'il dormait quasiment tous les après-midi. Profitant de la fameuse porte d'entrée dans le sommeil qui se situe vers 14 heures, il se déshabillait et se mettait au lit pour des durées variables mais sans doute suffisant pour profiter de 60 à 80 minutes de sommeil lent profond qui lui permettait de récupérer.

Marcel Proust

Il dormait mal et accorda une place centrale dans la genèse de son activité artistique et dans son œuvre elle-même au sommeil, qu'il décrivit très souvent avec une précision qui recoupe souvent les meilleures données scientifiques. Pour traiter ses insomnies, il prenait du Véronal, qui provoquait des troubles de la mémoire qu'il décrivit sans vouloir reconnaître que sa médication en était la cause.

Il assurait enfin que le meilleur hypnotique est le sommeil lui-même, ce qui est facilement vérifiable... à condition que l'on arrive à s'endormir.

Veille et sommeil

Comme chacune des milliards de cellules qui les constituent, tous les organismes vivants du monde végétal ou animal fonctionnent de façon cyclique. Ainsi, l'activité cardiaque, la respiration, la température du corps, l'intensité de la sécrétion des hormones sont variables selon les heures.

De même, l'alternance veille/sommeil est l'un des exemples les plus faciles à observer dans le monde animal et singulièrement chez ces animaux supérieurs que sont les mammifères. Pour l'homme, qui appartient à ce groupe, ce rythme est conditionné par la succession répétée à l'infini de la nuit au jour et du jour à la nuit, appelé « rythme circadien ». Ainsi, la lumière du soleil, ou son absence, agit sur une horloge interne mettant en jeu certaines parties de notre cerveau et de nombreux intermédiaires hormonaux pour déclencher l'endormissement ou le réveil.

Pendant des millénaires, rien n'est venu interférer dans ce cycle immuable. En revanche, depuis l'avènement de l'ère scientifique et sa kyrielle d'inventions techniques, notamment la découverte de l'électricité, les modes de vie ont changé au point de dérégler l'horloge biologique. Depuis un peu plus d'une centaine d'années, l'homme a accédé aux délices d'une vie qui fait fi des grands cycles naturels et a découvert en même temps les affres de l'insomnie.

Ainsi, l'insomnie serait, pour une large part, fille de modernité. Les rares écrits anciens qui en parlent ne rapportent que des cas isolés alors que les enquêtes les plus récentes évaluent, pour les pays développés, à plus de 10 % la population touchée par ce fléau moderne. Pour certains spécialistes, ce chiffre serait très sous-évalué. À l'instar des maladies cardio-vasculaires, de l'obésité et du diabète, les troubles du sommeil et de la vigilance (qui lui sont obligatoirement associées) vont croissant chaque année et battent en brèche, en terme de qualité de vie, l'apport de la science pour combattre la précarité de la condition humaine.

UNE NÉCESSITÉ VITALE

DÉFINIR LE SOMMEIL

Il est toujours difficile de définir ce qui apparaît comme un comportement absolument banal inhérent à notre condition d'humain. Le sommeil, la marche, la respiration ne se rappellent à nous que lorsque l'organisme manifeste des ratés dans la continuité de ces fonctions.

On peut cependant dire que le sommeil est une suspension, partielle, périodique et immédiatement réversible par une stimulation, des rapports sensitifs et moteurs que l'organisme entretient avec son environnement.

Un bref commentaire suffit pour expliciter cette définition. L'état de veille est caractérisé par la possibilité de percevoir le monde grâce aux organes des sens : la vue, l'audition, l'odorat, le toucher et le goût. En utilisant les informations reçues, nous pouvons mettre notre corps en action pour échanger avec les autres et avec l'environnement. Le sommeil interrompt cet état à certains moments, sans que toute activité cérébrale soit pour autant abolie. Une stimulation, en induisant le réveil, nous propulse de nouveau dans l'état de veille.

Le sommeil n'est donc pas un processus passif mais un processus physiologique actif avec plusieurs stades distincts.

DORMIR OU MOURIR

Dormir est donc une nécessité vitale, et tous les stades du sommeil étudiés ci-dessous sont essentiels pour rester en bonne santé.

Privé complètement de sommeil par stimulations réitérées, l'animal présente rapidement une dégradation de son état général qui va jusqu'à la mort. Chez le rat de laboratoire, la mort suivant l'apparition de troubles graves (stress très élevé, désordre de la motricité, lésions cutanées, perte de poids, ulcères digestifs) survient entre 3 et 33 jours après le début de l'expérience. Ces résultats montrent donc l'importance de facteurs individuels dans la résistance à l'insomnie.

Les mêmes expériences conduites chez un homme volontaire, pouvant à tout moment interrompre l'expérience, peuvent difficilement excéder 3 jours. Le record est de 11 jours. Une telle privation entraîne une altération des processus mentaux : manque de concentration, périodes d'inattention, réduction de la vigilance, dégradation de la mémoire à court terme, lenteur de l'action, perte de la perspicacité, erreurs d'interprétation, illusions visuelles et périodes de désorientation. L'humeur est également touchée : irritabilité, sensation de fatigue, apparition d'un état dépressif, sensation de persécution, perte d'intérêt pour l'entourage et les événements et envie croissante et irrésistible de dormir.

Chaque individu présente une sensibilité différente à la privation de sommeil. Les jeunes adultes (jusqu'à 40 ans) sont moins vulnérables.

STADES, CYCLES ET RYTHMES

Des appareils très performants permettent aujourd'hui d'enregistrer des électroencéphalogrammes (EEG), qui donnent une image de l'activité électrique du cerveau, des électromyogrammes (EMG), qui mesurent le tonus de base des muscles variant selon les postures ou les mouvements, et des électrooculogrammes (EOG), qui suivent les mouvements oculaires. Les enregistrements du rythme cardiaque et de la fréquence respiratoire viennent compléter ces données. De nombreux centres ou consultations du sommeil existent dans les hôpitaux, où ces différents paramètres sont enregistrés au cours de nuits passées à dormir avec un équipement sophistiqué, mais très supportable, placé sur le crâne et en différents endroits du corps.

Ces enregistrements reflètent des oscillations électromagnétiques dans une bande de fréquences données résultant de l'activité électrique cohérente d'un grand nombre de cellules. Pour l'EEG, les ondes reflètent l'activité des neurones du cerveau ; elles sont de très faible amplitude, de l'ordre du microvolt, et le tracé n'est pas très régulier. Elles varient avec les différentes activités cérébrales et présentent des caractéristiques remarquables en fonction de l'état de veille ou de sommeil. Elles peuvent également permettre de détecter des états pathologiques comme l'épilepsie.

LES TROIS PÉRIODES DU SOMMEIL

Grâce à ces travaux, on peut décrire **trois périodes** nettement définies pour le cycle veille/sommeil, assimilable au cycle activité-repos : une période d'éveil, une période de sommeil à ondes lentes (4 stades) et une période de sommeil paradoxal.

L'éveil

Il correspond à la période d'activité, liée, le plus souvent, au jour. Le sujet est alors réceptif à tous les stimuli du monde extérieur, qu'il traduit, grâce aux organes des sens, en informations destinées au cerveau. Celui-ci les utilise pour choisir et commander nos actions.

Cependant, la vie moderne a créé de multiples situations où cette période se déroule la nuit, ce qui retentit toujours, nous le verrons, sur la qualité de l'activité et du sommeil.

L'EEG, enregistré durant l'éveil, présente des ondes de fréquences rapides et de bas voltage appelées alpha (α) et bêta (β). Les mouvements oculaires sont très fréquents et rapides.

Le sommeil à ondes lentes ou sommeil lent

Assez vite au cours de l'endormissement, le sujet devient moins réceptif aux stimuli extérieurs. Ses yeux sont fermés. Il sombre dans un sommeil profond, d'où il est difficile de le sortir.

L'EEG enregistré durant cette période présente des ondes de fréquences de plus en plus lentes. Les mouvements oculaires sont absents. Cœur et poumons fonctionnent au ralenti.

Ce sommeil est subdivisé en **quatre stades**...

• Le **stade I**, ou stade **de transition** entre éveil et sommeil, est la phase de **l'endormissement**, qui dure de quelques secondes à quelques minutes. Elle est très fragile, le moindre bruit réveille le sujet, les muscles se relâchent avec, épisodiquement, de brusques et courtes contractions (appelées myoclonies). Ce stade s'accompagne fréquemment d'hallucinations visuelles ou sonores dites « hypnagogiques » ou d'une sensation de chute, manifestations qui annoncent un sommeil plus profond. Si le dormeur est réveillé à ce moment-là, il affirme en toute bonne foi qu'il ne dormait pas.

Sur l'EEG, on voit apparaître dès le tout début de l'endormissement des ondes caractéristiques alpha (α) (8 à 12 cycles par seconde) et bêta (β) (12 à 18 cycles par seconde) aux fréquences élevées, puis dès le début de la somnolence des ondes thêta (θ) irrégulières et plus lentes (4 à 8 cycles par seconde).

Le temps que dure ce stade est très court et on l'incorpore souvent dans le temps du stade II.

• Durant le **stade II**, ou période **de sommeil confirmé**, l'EEG montre un tracé caractéristique fait des fuseaux du sommeil sous forme de petits paquets d'ondes de rythme rapide (15 à 18 cycles par seconde) et des complexes K. Le fuseau est associé à la perte de conscience. Le dormeur devient moins réceptif aux stimulations d'éveil. Ce stade II est très vite atteint lorsqu'on s'endort au cours d'une conversation ou d'une conférence ennuyeuses. Il constitue le sommeil lent léger, représente environ 50 % du sommeil et dure environ 30 à 40 minutes.

• Durant les deux **stades III et IV** de **sommeil lent profond** l'activité cérébrale est à son minimum. L'EEG présente des ondes très ralenties (1 à 4 cycles par seconde), de type delta (δ), de plus en plus nombreuses, qui viennent se mêler aux fuseaux. Durant le stade III, les ondes delta représentent moins de la moitié des ondes enregistrées. Durant le stade IV, elles sont largement prédominantes. L'EMG indique un tonus musculaire relâché. Toutes les fonctions vitales tournent au ralenti. Il devient très difficile de réveiller le sujet et, si l'on insiste, celui-ci paraît désorienté, dans un état confusionnel, ne sachant pas où il se trouve. On parle parfois d'ivresse du réveil.

Ce sommeil profond est considéré comme le **sommeil réparateur**, celui qui permet la restauration des réserves énergétiques cellulaires et fait disparaître la fatigue. Il représente 25 % du sommeil total et dure environ 20 à 40 minutes.

On sait aujourd'hui que le sommeil lent est peuplé de rêves que l'on se rappelle peu (dans 45 % des cas) et qui sont de structure plus rationnelle que ceux du stade suivant, celui du sommeil paradoxal.

C'est aussi au cours des stades III et IV du sommeil que l'on peut observer des manifestations de somnambulisme ou des terreurs nocturnes, notamment chez les enfants.

Le sommeil paradoxal (SP)

C'est la troisième période du sommeil. Découverte en 1959 par Michel Jouvet, éminent chercheur lyonnais, elle survient le plus souvent à la fin du sommeil lent profond. Elle est caractérisée par la survenue de petits mouvements oculaires rapides (visibles sous les paupières closes) ainsi que de petits mouvements des extrémités. La respiration est irrégulière, le rythme cardiaque et la pression artérielle s'élèvent.

L'EEG est, lui aussi, rapide et ressemble à celui de l'éveil avec les mêmes ondes bêta observées durant l'endormissement. Mais paradoxalement, c'est durant cette période que l'éveil est le plus difficile à obtenir. Il faut en effet de fortes stimulations pour réveiller le sujet. Il s'agit donc d'un **sommeil profond**. D'ailleurs l'EMG montre une atonie presque totale. Le système musculaire général est totalement relâché. On peut dire que le cerveau hyperactif du sommeil paradoxal s'accompagne d'un corps inerte.

Pendant cette période paradoxale qui survient 60 à 80 minutes après le début du sommeil, nous rêvons et surtout nous mémorisons (dans 75 % des cas), au moins pour un temps, nos rêves. En effet, si le dormeur est réveillé pendant cette période, il peut raconter ses rêves dans les détails. En revanche, un dormeur réveillé durant les stades II, III et IV peut évoquer des rêves mais moins souvent et par bribes, de façon plus confuse.

Dernière observation qui reste sans explication : le pénis est en érection chez l'homme et le clitoris est turgescent chez la femme.

Le sommeil paradoxal représente 25 % du sommeil total... et guère plus de 10 % de notre vie. Mais les rêves heureux ou les cauchemars qu'il produit plusieurs fois par nuit ont donné libre cours aux interprétations les plus étonnantes et le sens à leur donner reste très discuté.

Les cycles et les rythmes du sommeil

Les cycles

Durant la nuit, le sommeil s'organise en moyenne en 4 à 6 cycles, qui durent de 90 à 120 minutes. Chaque cycle comporte les trois périodes décrites ci-dessus. Le sommeil lent représente 80 % du temps total. La durée de ces cycles varie d'un sujet à l'autre et, pour un même sujet, varie jusqu'à l'adolescence pour rester stable après. Il en va de même pour le nombre des cycles, qui peut aller de 3 à 7.

La première moitié du sommeil est particulièrement riche en sommeil lent profond, alors que la seconde moitié comporte beaucoup plus de sommeil léger alternant avec du sommeil paradoxal. On peut schématiser en disant que la première partie de la nuit sert au repos physique et aux rêves structurés liés à la mémorisation et que la seconde partie est consacrée aux rêves plus ou moins extravagants avec un cerveau très actif.

Les rythmes

Concernant les rythmes du sommeil, on sait que nous avons des horloges dans le cerveau depuis les expériences du spéléologue Michel Siffre. En 1962, celui-ci fit un séjour de plusieurs semaines dans une grotte, sous contrôle médical. N'étant plus soumis à l'alternance jour/nuit, il put mesurer que son corps présentait spontanément un cycle veille/sommeil de 25 heures. Dans les conditions normales, l'être humain doit donc, chaque jour, remettre son rythme à l'heure. Cette fonction est assurée par des synchroniseurs cérébraux.

Dans la pratique de la vie moderne, chaque personne a son rythme de sommeil qu'elle tente d'adapter à ses obligations professionnelles et personnelles, notamment conjugales et familiales. Il s'agit de compromis que l'on peut trouver si l'on porte suffisamment d'attention à celles-ci. Bien se connaître est la première règle pour bien vivre. Trop souvent, la méconnaissance des caractéristiques génétiques, biologiques du cycle veille/sommeil sont à l'origine de perturbations provoquées par une inadéquation à la vie socioprofessionnelle.

Avant de prendre des médicaments hypnotiques, chaque personne devrait faire un bilan en se faisant aider par un médecin compétent dans ce domaine.

Une nuit normale

En dehors de tout trouble du sommeil, l'adulte normal qui travaille de jour va ressentir un besoin de sommeil chaque soir à la même heure. Des petits signes apparaissent, bien connus de chacun : sensation de fatigue, de froid, bâillements éventuels, diminution de l'acuité intellectuelle. Si le sujet ne résiste pas à ces signaux, s'il ne fait pas un effort de lutte pour éviter le sommeil, s'il se couche à ce moment-là, l'endormissement est rapide.

Il se passe généralement moins de 10 minutes entre le moment où l'on décide de dormir, lumière éteinte, allongé au chaud dans un lit confortable, paupières fermées, et le moment où l'on s'endort. Ce temps, appelé « latence d'endormissement », est un paramètre important dans l'évaluation de la capacité à gérer son sommeil (stade I).

Le sujet s'endort en stade de sommeil lent, d'abord lent léger (stade II), puis progressivement lent profond (stades III et IV), pour une durée qui varie de 70 à 100 minutes. Cette période correspond à la récupération physique et intellectuelle.

La quantité de sommeil lent profond est indépendante de la durée totale du sommeil, mais elle est liée à la durée et à la qualité de l'éveil qui le précède. Ainsi une activité physique intense et un endormissement tardif augmentent la quantité du sommeil lent profond. De même, après une sieste durant l'après-midi, le sommeil lent léger (stade II) l'emporte sur le sommeil lent profond. En cas de privation de sommeil, durant les nuits qui suivent, le sommeil lent profond est augmenté, récupération oblige.

À la fin du sommeil lent apparaît le sommeil paradoxal pour une durée de 10 à 15 minutes. C'est le temps des rêves, souvent bizarres, incongrus, voire extravagants. L'activité cérébrale est intense et le corps totalement inerte, à l'exception des yeux.

À la fin du sommeil paradoxal, une phase de préeveil, très courte, marque le début d'un nouveau cycle à peu près identique à celui qui vient d'être décrit. C'est le moment où le dormeur change de position. Il ne perçoit pas ce prééveil. Il lui arrive même de se lever à ce moment-là pour aller uriner, et souvent, s'il dure moins de 3 minutes, il ne se souvient pas de cet épisode que l'on peut qualifier de microéveil. Cependant, ces éveils sont plus longs et plus fréquents à partir du troisième cycle – ce qui explique la plus grande fréquence des réveils nocturnes à partir du deuxième tiers de la nuit.

Insistons sur les 4 à 6 cycles qui se succèdent durant la nuit, dont la durée varie de 90 à 120 minutes. Cette durée est propre à chaque dormeur et reste remarquablement stable au cours de la vie, même si les rapports de temps entre les différents stades varient avec le vieillissement. Tout se passe comme si elle était génétiquement déterminée.

La durée des stades du sommeil se modifie au cours de la nuit. Chaque cycle ne présente pas les mêmes durées pour chacun des stades. Ainsi les deux premiers cycles comportent la presque totalité du sommeil lent profond (stades III et IV). On récupère donc beaucoup en début de nuit. Les cycles suivants, de fin de nuit, présentent, en proportion, plus de sommeil lent léger (stade II) et de sommeil paradoxal. La durée de celui-ci est donc directement liée à la durée totale du sommeil ; plus on dort, plus on rêve. Cependant, en cas de privation, la priorité dans le « rattrapage » du sommeil est toujours accordée au sommeil lent profond. On ne « rattrape » du sommeil paradoxal, c'est-à-dire du rêve, que si on en a le temps.

Notons enfin que l'architecture de cette nuit normale varie avec l'âge. Au cours du vieillissement, le sommeil lent profond diminue au profit du sommeil lent léger. Ainsi, fréquemment, les plaintes pour insomnies des sujets âgés ne sont que des sensations de sommeil plus léger alors que la durée totale du sommeil est très bonne.

Dormir tout son soûl

Parfois, on aimerait bien. Mais on ne peut pas toujours. Et la tendance de la vie moderne est de culpabiliser les gros dormeurs comme on le fait pour les gros mangeurs.

Il faut noter ici que l'acception de « soûl » pour « rassasié », « saturé », date du XVe siècle. Ainsi on peut être soûl de vin, de sommeil ou de nourriture, c'est-à-dire complètement repu, rassasié.

Si nous étions parfaitement synchronisés, nous devrions chaque nuit dormir tout notre soûl. Mais comme nous sommes fréquemment en déficit de sommeil, un état de « réplétion » au réveil laisse souvent le sujet un peu égaré, ce qui impose un temps de transition pour retrouver la vie active, comme si le corps devait en quelque sorte digérer ce trop-plein de sommeil.

La durée du sommeil

Gros et petits dormeurs

La durée du sommeil varie considérablement d'un individu à l'autre et il y a bien une durée idéale de sommeil pour chaque individu probablement génétiquement prédéterminée.

Certains sont de gros dormeurs qui ne peuvent sortir du lit qu'après 9 heures ou plus passées dans les bras de Morphée, (mais ils ne sont pas paresseux pour autant) et d'autres se réveillent frais et dispos ou bout de 5 ou 6 heures. Ce sont de petits dormeurs. Le record, dans ce domaine, appartient à un Australien qui n'a besoin que de 3 heures 30 de sommeil par nuit. Entre les deux groupes, on trouve les moyens dormeurs.

Bien sûr, les événements de la vie quotidienne interfèrent sans cesse avec nos heures de coucher et de réveil. Il faut donc absolument tenir compte de la catégorie de dormeurs à laquelle on appartient pour harmoniser au mieux son existence.

Dans la pratique, il semble assez simple de savoir dans quel groupe on se trouve.

Si dormir 8 heures est votre durée de sommeil maximale, si une nuit très courte d'environ 3 à 4 heures vous laisse relativement en forme, si vous n'aimez jamais traîner au lit une fois réveillé et si vous ne dormez pas beaucoup plus en vacances que pendant le reste de l'année, vous êtes un petit dormeur.

Si, à l'opposé, vous supportez très mal les nuits courtes qui réduisent votre efficacité à néant, que les vacances et les week-ends sont les occasions de dormir beaucoup plus pour récupérer ce que vous ressentez comme un déficit et, si vous limitez vos sorties et vos loisirs en fonction de la quantité de sommeil qui vous semble indispensable, vous êtes un gros dormeur.

Sur le plan scientifique, la comparaison de l'architecture du sommeil des petits et des gros dormeurs montre qu'elle diffère surtout par la durée du stade II du sommeil lent (*cf.* p. 26), qui est plus longue chez les derniers. Dans une moindre mesure, la durée du stade I et du sommeil paradoxal est plus courte chez les petits dormeurs.

Toutefois, il faut relativiser ces notions. On peut parfois s'interroger sur les petits dormeurs qui se vantent de n'avoir besoin que de très peu de sommeil, de se lever tôt frais et dispos et qui ont ainsi un temps considérable pour abattre, dans la journée, un travail colossal. S'agit-il vraiment de petits dormeurs ou de gens qui se mettent en valeur mais qui accumulent, à terme, une dette de sommeil au cours d'une vie trépidante où le stress, l'anxiété et les excitants (thé, café, tabac ou pire) tiennent un rôle majeur ?

Quant aux gros dormeurs, on peut parfois débusquer dans ce groupe de vrais nonchalants et d'authentiques paresseux dissimulés sous des habitudes d'éveil tardif.

En matière d'équilibre veille/sommeil, l'essentiel n'est pas de rechercher à gagner du temps en amputant son temps de sommeil, mais de dormir suffisamment pour être au mieux de sa forme dans la journée qui suit.

> ***Dormir d'un sommeil de plomb***
>
> L'évocation est ici sans ambiguïté. Il s'agit d'une personne qu'il est très difficile de déranger dans son sommeil et dont la qualité de celui-ci est à toute épreuve.
>
> D'autres expressions abondent dans ce sens : « Dormir comme un bienheureux » ; « Dormir du sommeil du juste » ; « Dormir comme une souche ». Elles sont toutes rattachées à une tradition qui remonte à l'Antiquité et au Judéo-christianisme selon laquelle l'insomnie est le corollaire de la culpabilité.
>
> Ce dormeur-là, rien ne peut troubler son sommeil puisqu'il n'a rien à se reprocher. Pourtant on peut ne pas être d'accord avec cette affirmation, comme Romain Gary dans *La Vie devant soi* : « Je crois que ce sont les injustes qui dorment le mieux, parce qu'ils s'en foutent, alors que les justes ne peuvent fermer l'œil et se font du mauvais sang pour tout. »
>
> Laissons le mot de la fin à l'humoriste Pierre Dac, qui proposait : « Souffrant d'insomnies, j'échangerais un matelas de plume contre un sommeil de plomb. »

L'heure du réveil et du coucher

Chaque personne a ses horaires de sommeil privilégiés. Une petite partie de la population, environ 5 %, appartient aux extrêmes : les couche-très-tôt, avant 21 heures, et les couche-très-tard, après 1 heure du matin.

Pour les autres qui présentent une assez large marge d'adaptation aux horaires qu'impose la vie en société, on peut facilement constituer deux groupes : ceux qui sont plutôt du soir et ceux qui sont plutôt du matin.

Vous êtes plutôt du soir si votre lever est toujours un peu pénible et s'il vous faut une bonne heure et un bon café pour vous sortir des brumes du sommeil ; si, dans un groupe, vous êtes toujours parmi les derniers à émerger du lit ; si les vacances accentuent encore le décalage de vos horaires car vous en profitez pour vous laisser un peu aller ; enfin si, en cas de réveil très matinal obligatoire, vous préférez ne pas vous coucher du tout.

Vous êtes plutôt du matin si vous êtes tout de suite en forme, frais et dispos au réveil ; si vous vous levez volontiers à 5 heures du matin pour terminer un travail ; si, dans un groupe, vous êtes toujours parmi les premiers levés ; enfin si, en vacances, vous ne vous levez jamais plus tard que 8 heures 30 ou 9 heures.

Il y a donc des « individus du soir » et des « individus du matin ». Il s'agit probablement d'une caractéristique génétique avec laquelle il faut composer notre vie durant. Cependant des travaux canadiens très récents ont montré qu'elle varie en fonction de l'âge. Ainsi les sujets de 20 à 40 ans sont plus fréquemment du « type du soir » que ceux de 40 à 60 ans, qui sont plus souvent du « type du matin ». Cela pourrait expliquer la tendance des adolescents à refuser de se coucher avant une heure avancée.

LES BONS ET LES MAUVAIS DORMEURS

Les notions de bon et de mauvais dormeurs ne sont plus relatives, mais confirmées par l'accumulation des observations concernant le sommeil de groupe de population.

Certaines personnes ont le privilège de pouvoir dormir en toutes circonstances. Rien ne les gêne, ni le bruit environnant, ni la précarité de la literie, ni l'absence du plus élémentaire confort, ni d'avoir absorbé un repas pantagruélique et trop arrosé, ni la présence d'un ou d'une partenaire qui, parfois, ronfle. Qu'elles en profitent, car cet état peut ne pas durer toute la vie. Suite à des circonstances imprévisibles, notamment après des événements mal vécus (chômage, divorce, perte d'un être cher), il arrive que ce sommeil optimal se transforme en insomnies insupportables.

D'autres, à l'opposé, savent qu'un rien peut déclencher une mauvaise nuit. Un écart de régime, une contrariété, un simple événement inattendu ou une grande joie peuvent perturber le cycle du sommeil. Ces personnes ne sont pas à classer parmi les insomniaques. On doit les aider à gérer cette réactivité excessive de leur cycle veille/sommeil.

Le sommeil selon l'âge

Le sommeil varie au cours de la vie. Chacun a pu l'observer : un bébé ne dort pas comme une grand-mère, car l'âge affecte fortement la quantité de notre sommeil, la répartition des stades au cours des cycles et, parfois, sa qualité.

De la naissance à l'adolescence, on assiste à une évolution continue du cycle veille/sommeil pour arriver au rythme de l'adulte décrit précédemment. Comme pour tous les autres cycles biologiques, celui-ci est en remaniement permanent pour s'adapter aux besoins spécifiques de chaque âge.

Le sommeil de l'enfant est souvent source d'inquiétudes voire d'angoisse pour les mamans qui n'en connaissent pas les caractéristiques. Pour les rassurer, il importe de décrire en détail ses modalités afin qu'elles puissent suivre pas à pas l'évolution de ce rythme si différent de celui de l'adulte.

DANS L'UTÉRUS

Durant ses neuf mois de vie dans l'utérus, le bébé passe beaucoup de temps à dormir. Les immenses progrès des moyens d'observation du développement de l'embryon et du fœtus – grâce notamment à l'échographie et aux enregistrements électriques – ont permis de tracer un profil du sommeil durant cette phase de vie très protégée.

Avant la vingt-huitième semaine, le bébé dort en permanence. L'EEG peut rester plat pendant 1 ou 2 minutes. Puis apparaît un sommeil dit « agité » durant lequel on peut observer des mouvements amples des bras et des jambes, des mouvements plus fins des doigts, des orteils et des yeux, et une activité électrique du cerveau permanente.

À 30 semaines, on enregistre des périodes nombreuses de sommeil calme, paisible, immobile qui ressemblent beaucoup au sommeil lent profond de l'adulte.

À partir de 52 semaines, trois stades de sommeil alternent : stade calme, stade agité, stade indifférencié. Ce dernier tend à disparaître à l'approche du terme, qui se caractérise par l'apparition du stade de veille : le bébé ouvre alors les yeux.

De nombreuses observations cliniques effectuées sur des prématurés montrent que l'on doit prendre en compte l'âge à partir de la conception et non pas à partir du début de la vie extra-utérine pour suivre l'évolution du sommeil du nouveau-né. Ainsi, un prématuré né à 6 mois de vie intra-utérine (24 semaines) aura trois mois plus tard la même maturité cérébrale et le même sommeil qu'un bébé né à terme. C'est donc la maturation des neurones du cortex (cellules de la partie périphérique du cerveau) et la mise en place des connexions avec tous les autres neurones qui dirige l'évolution du rythme veille/sommeil.

Le bébé dort au début de l'accouchement. Il ne se réveille qu'au moment de l'expulsion.

Le nouveau-né

Après la naissance, le bébé va recevoir des stimuli extérieurs (lumière, bruit, déplacement, sensations tactiles) ou intérieurs (sensations de faim, contractions ou douleurs de divers types) qui vont modifier son rythme veille/sommeil. Celui-ci se compose de quatre états : le sommeil calme, le sommeil agité, l'éveil calme et l'éveil agité avec ou sans pleurs.

Le sommeil calme

Immobile, sans aucun mouvement corporel sauf quelques sursauts, le nouveau-né présente cependant un tonus musculaire persistant et l'on peut parfois observer une position des bras au-dessus du visage. Le visage est peu expressif, sans aucune mimique en dehors de quelques mouvements de succion. Les paupières sont closes sur des yeux immobiles. Les battements cardiaques et la respiration sont lents et réguliers. Ce sommeil est l'équivalent du sommeil lent profond de l'adulte. Généralement, aucun éveil ne vient l'interrompre. Il est stable et dure environ 20 minutes.

Le sommeil agité

Il se caractérise par une série de mouvements corporels : étirements et flexions de bonne amplitude, mouvements plus restreints des bras et des jambes et mouvements fins des doigts et des orteils. Le visage, très expressif, multiplie les mimiques, où l'on peut reconnaître six modalités d'émotions : la peur, la colère, le dégoût, la surprise, la tristesse et souvent la joie, avec le fameux « sourire aux anges » que guettent toutes les mamans. Les mouvements oculaires sont rapides. La respiration est irrégulière et parfois haletante. Moins régulier, le rythme cardiaque s'accélère. Ce sommeil agité est l'équivalent du sommeil paradoxal de l'adulte. Il présente une durée très variable de 10 à 45 minutes avec une moyenne de 25 minutes.

L'état de veille calme

Il s'agit d'un état d'éveil attentif, limité à quelques minutes, deux ou trois fois par jour, durant lesquelles le bébé a les yeux grands ouverts et brillants. Dès ses premiers jours de vie, il peut regarder le visage qui lui sourit ou lui parle. Puis tout se passe comme si cet effort de prise de conscience active du monde environnant le fatiguait et la veille devient agitée.

L'éveil agité avec ou sans pleurs

Cette période représente la majorité de l'état de veille. Le nouveau-né bouge fébrilement bras et jambes, il pleure, son regard est dans le vide et il est quasiment impossible de fixer son attention.

Durant les quatre premières semaines, il dormira entre 14 et 20 heures avec une moyenne de 16 heures, selon des cycles de 3 à 4 heures, sans rythme d'alternance jour/nuit, et avec des périodes d'éveil qui seront la plupart du temps agitées.

De plus, contrairement à l'adulte, l'enfant s'endort en sommeil agité et les cycles de 3 à 4 heures enchaînent des périodes de 50 à 60 minutes où alternent sommeil calme et sommeil agité. Ce dernier, prépondérant car occupant plus de la moitié du temps, jouerait un rôle essentiel dans la construction cérébrale et notamment dans la multiplication des synapses (les connexions entre neurones).

ENTRE 1 ET 6 MOIS

Durant cette période, le sommeil se transforme pour acquérir progressivement certaines caractéristiques du sommeil de l'adulte : périodicité jour/nuit, rythmes circadiens de la température, de l'appareil cardio-respiratoire et des sécrétions hormonales.

Dès le début du deuxième mois, on peut observer une longue phase quotidienne d'éveil située entre 17 et 22 heures, accompagnée de pleurs incoercibles qui inquiètent beaucoup (à tort) les parents. En même temps, les périodes de sommeil nocturnes s'allongent pour atteindre 6 heures consécutives et 9 heures à partir de 3 mois.

Les deux premiers mois sont relativement indépendants de l'environnement et encore peu influencés par le rythme jour/nuit et par celui de l'alimentation. Le nourrisson est réglé par son horloge interne, qui présente un cycle de 25 heures. Cependant, les plus longues périodes de veille et les plus longues périodes de sommeil auront tendance à se décaler régulièrement tous les jours. À partir du troisième mois, le bébé va régler son horloge interne sur le rythme jour/nuit de 24 heures.

En effet, la vie quotidienne, qui doit respecter les phases lumière/obscurité, une certaine régularité des repas avec tendance à étirer la phase nocturne sans biberon, les périodes successives de jeu, de promenades et d'échanges avec les familiers, la régularité du coucher vont aider le nourrisson à synchroniser ses rythmes et à acquérir un sommeil nocturne stable sans éveil.

Durant cette phase d'adaptation, le sommeil agité des premiers jours tend à beaucoup diminuer et à se stabiliser. À 6 mois, il ne représente plus que 30 % du temps de sommeil et il se décompose en deux stades équivalant au sommeil lent léger et lent profond de l'adulte. Il diminue surtout durant la journée au profit de l'éveil calme.

ENTRE 6 MOIS ET 4 ANS

L'enfant évolue progressivement vers un sommeil de type adulte : le sommeil diurne se réduit. Le nombre des siestes diminue aussi pour arriver à une seule, plus longue, dans l'après-midi. En revanche, la durée totale du sommeil ne passe que de 16 heures à 6 mois à 13-14 heures à 4 ans. Cependant, le mode d'endormissement change : il passe du mode agité au mode lent, qui est celui de l'adulte. Entre 2 et 4 ans, les cycles de sommeil s'allongent pour atteindre la durée de ceux de l'adulte entre 2 et 4 ans.

Le marchand de sable est passé

C'est vrai que les yeux picotent quand s'ouvre la porte du sommeil comme si un peu de poussière s'était glissée là. Les enfants se frottent les paupières. Il est temps de les mettre au lit même s'ils résistent pour rester avec les grands.

Ce phénomène est dû à une discrète interruption de la lubrification de la conjonctive, qui s'irrite légèrement et s'apaise lorsque les paupières se ferment sur elle. La nature est bien faite.

Quant au marchand de sable, c'est une allusion aux très nombreux colporteurs ambulants qui proposaient des remèdes pour tout, des panacées, et notamment pour les insomnies. Bien sûr cela ne marchait pas, mais le boniment était convaincant. C'était de la poudre aux yeux, qui occultait la réalité.

DE 4 À 12 ANS

Cette tranche d'âge se caractérise par une grande vigilance diurne et un endormissement rapide suivi d'un sommeil très profond. La disparition de la sieste abaisse le temps de sommeil à une durée inférieure à 12 heures par 24 heures. L'heure du coucher est plus tardive, alors que celle du réveil reste fixe, en rapport avec les horaires de l'école.

Durant cette période, les deux premiers cycles de sommeil ne comportent que du sommeil lent profond sans sommeil paradoxal (celui du rêve), ce dernier n'apparaissant le plus souvent qu'après 3 heures de sommeil de ce type.

Cela explique la relative fréquence dans l'enfance des phénomènes de terreurs nocturnes ou le somnambulisme, qui sont liés au sommeil profond.

L'adolescent

L'adolescence est une période perturbée concernant le sommeil. Le rythme de vie imposé, ou que s'impose l'adolescent, le place en déficit de sommeil quasi permanent.

Les jeunes de 14-15 ans aiment vivre durant la nuit et se coucher tard, voire tôt le matin. Sans doute, les transformations hormonales de la puberté contribuent-elles à favoriser cette évolution. Mais il semble que cela corresponde aussi à une caractéristique génétique propre à l'adolescence. Cette perte de sommeil se fait au détriment du sommeil lent profond. Les endormissements sont plus difficiles et le sommeil plus léger au début de ce qui reste de nuit.

Le temps passé à dormir diminue de 2 heures entre 12 et 20 ans alors que les besoins physiologiques n'ont pas évolué ou sont même considérés comme plus importants. Une certaine irrégularité des horaires de sommeil est également observée. Le rattrapage se fait cependant assez bien par d'immenses grasses matinées durant les week-ends ou les vacances.

L'ADULTE

C'est le sommeil type décrit plus haut, (*cf.* p. 23-30) avec toutes ses modalités individuelles.

LE SOMMEIL PREND DE L'ÂGE

Avec l'âge, le rythme veille/sommeil se modifie progressivement comme s'il suivait le vieillissement cellulaire inéluctable. Il faut ranger parmi les nombreuses idées reçues l'adage célèbre « Plus on vieillit, moins on dort ». En effet, s'il est facile d'observer que le sommeil des personnes âgées a parfois perdu de son efficacité, il n'est pas avéré qu'il soit moindre en quantité. De nombreux facteurs interfèrent et il est facile de tout mélanger.

Il est certain que le rythme biologique de l'alternance veille/sommeil se modifie au cours de l'âge. Il devient de plus en plus difficile de rester éveillé tard le soir et, au cours de la nuit, le sommeil est fréquemment interrompu par des éveils impromptus. Quant au réveil, il a tendance à se situer très tôt le matin, vers 5-6 heures. Des nuits courtes, fragmentées, relativement inefficaces aboutissent donc à une pénurie de sommeil, qui est très généralement compensée par la sieste. Celle-ci est si fréquente qu'elle devient, avec l'âge, partie intégrante dans l'organisation du quotidien de la personne.

Il s'agit donc en fait de différences de répartition des phases d'éveil et de sommeil pour une durée globale à peu près équivalente. On dit alors que le sommeil du sujet âgé est « polyphasique ».

Des études très précises de l'EEG faites au cours de la vie des adultes ont montré une évolution continue des aspects et de la durée des cycles du sommeil sans que l'on puisse, aujourd'hui, expliquer le sens de ces changements. Ainsi, avec l'âge, la durée du sommeil lent diminue chez tous les sujets.

Avoir le sommeil léger

À l'opposé du sommeil de plomb ou du sommeil du loir, on trouve ceux qui se plaignent d'avoir le sommeil léger, d'être réveillés au moindre bruit et de ne pas fermer l'œil de la nuit. Qu'en est-il exactement ? Depuis la mise au point d'enregistrements nocturnes en clinique du sommeil, on sait qu'il s'agit de plaintes purement subjectives correspondant à des troubles névrotiques. Dans l'immense majorité des cas, tous les patients présentent des enregistrements tout à fait normaux avec une répartition très convenable, en fonction de leur âge, des différentes phases du sommeil. Il importe donc, pour le médecin, de bien diagnostiquer ces insomnies qui sont la majorité, et d'éviter de recourir au très lourd examen polygraphique en clinique du sommeil qui n'apportera aucun élément nouveau.

L'un des paradoxes de la vulgarisation de la connaissance du sommeil et de ses troubles est qu'elle peut entretenir, par fixation névrotique, les insomnies. Ainsi, entendons-nous dans nos cabinets des réflexions du genre : « Vous savez, docteur, j'analyse très bien ma situation. Je n'arrive pas à rentrer en phase III du sommeil. Je sens bien que j'en reste à la phase II du sommeil léger. Je ne dors donc pas assez profondément et ne peux pas récupérer. » Bien entendu cette affirmation ne s'appuie sur rien d'objectif. Elle est alimentée par un fantasme.

Le vulgarisateur que je suis en arrive parfois à se demander si, dans certains cas, un certain degré d'ignorance n'est pas thérapeutique.

Sur le plan biologique, les travaux les plus récents attribuent de plus en plus d'importance au vieillissement cellulaire provoqué par le stress oxydant dû à l'excès de radicaux libres mal contrôlé. Ceux-ci sont très toxiques lorsque leur concentration intracellulaire est excessive et ils sont capables de dégrader les macromolécules de la vie et notamment de fragmenter l'ADN constitutif de notre patrimoine génétique.

Il faut aussi tenir compte de l'aspect psychosocial. À partir de la retraite professionnelle, les personnes âgées vivent fréquemment dans une certaine solitude. Elles sont moins stimulées et participent moins à la vie sociale. Elles attachent moins d'importance à l'alternance jour/nuit. Elles ont tendance à se laisser glisser dans un état dépressif, souvent à l'origine de troubles du sommeil ou, du moins, de symptômes et de plaintes rapportés au sommeil. On entend souvent cette remarque au cours des consultations : « Docteur, mon sommeil est plus léger qu'autrefois. »

Enfin, après 60 ans, la fréquence de nombreuses maladies chroniques va croissant. Qu'il s'agisse de l'arthrose, des maladies cardio-vasculaires, de l'ostéoporose, du diabète, des cancers, de syndromes neurologiques comme la maladie de Parkinson, toutes ces affections induisent de nombreux symptômes parfois douloureux qui sont autant d'obstacles au sommeil.

Au total, 15 % des personnes de plus de 75 ans se plaignent d'un mauvais sommeil et 30 % d'entre elles prennent des hypnotiques.

LA RÉGULATION VEILLE/SOMMEIL

Répétons-le, malgré la riche moisson de résultats engrangés depuis une cinquantaine d'années, nous sommes loin de tout savoir sur le sommeil. Comme dans beaucoup de domaines concernant la vie, les chercheurs doivent accepter que les zones d'ombres soient encore largement majoritaires. Le grand public, toujours avide de réponses définitives, ne l'entend pas de cette oreille. Il faut donc tenter de répondre à cette exigence pour mieux cerner l'importance vitale du sommeil et en dégager certaines caractéristiques bien étudiées.

Les paragraphes qui suivent tentent ainsi de répondre aux questions les plus diverses reliées à l'histoire du sommeil et des insomnies et aux observations effectuées par chacun d'entre nous.

La régulation du cycle

Le cycle veille/sommeil est régulé par des mécanismes complexes. D'une part, il existe une régulation endogène – c'est-à-dire inscrite dans nos cellules et qui fonctionne pour son propre compte avec un cycle plus long que 24 heures. D'autre part, il existe des synchronisateurs externes, dont le principal est l'alternance jour-nuit avec la lumière du soleil.

La régulation endogène

Ce sont les expériences (contrôlées de façon très scientifique) de Michel Siffre qui ont définitivement démontré, en 1962, que, en l'absence de la stimulation externe du soleil, le cycle veille/sommeil restait régulé mais avec un cycle différent, de 25 heures (*cf.* p. 28).

Cette régulation est sous la dépendance de systèmes très complexes que la neurophysiologie et la neurochimie tentent de comprendre.

On sait depuis quelques dizaines d'années qu'une molécule, la sérotonine, joue le rôle de neuromédiateur central aussi bien de l'état d'éveil que de celui du sommeil. En outre, des modèles de souris génétiquement modifiées ont montré que de nombreux gènes, donc de nombreuses molécules, étaient impliqués dans cette régulation. Mais il reste beaucoup à explorer dans ce domaine.

Les structures cérébrales qui assurent cette régulation sont en partie connues : certaines régions de l'hypothalamus, du cortex et du tronc cérébral, reliées par des connexions de neurones sont impliquées. Ainsi, on a pu localiser, au-dessus du chiasma optique, qui correspond au croisement d'une partie des fibres nerveuses du nerf optique droit et du nerf optique gauche, une très petite formation de la taille d'une pointe de crayon, qui joue le rôle de métronome pour l'alternance veille/sommeil. Sa destruction entraîne la disparition de cette alternance. Mais, mieux encore, si l'on transplante cette très petite formation en provenance d'un fœtus chez l'animal amputé, on restitue aussitôt la fonction !

Quoi qu'il en soit, le décalage horaire après un vol de plus de 3 fuseaux horaires en avion (*cf.* p. 52), qui induit un désordre temporaire avant que notre biologie ne s'adapte au nouveau rythme imposé, est le témoignage clinique irréfragable de notre dépendance vis-à-vis de cette horloge interne.

Les synchronisateurs

Nous sommes aussi dépendants de régulateurs externes qui agissent comme synchronisateurs. Le premier et le plus important est la lumière du soleil. Celle-ci, chez tous les mammifères et singulièrement chez l'homme, agit en empruntant un trajet nerveux qui va de la rétine jusqu'à l'hypothalamus, où se trouve une horloge interne qui régit nos rythmes appelés « circadiens » (étymologiquement : qui se déroule « à peu près en une journée », soit entre 20 et 24 heures).

Mais la lumière artificielle peut remplacer celle du soleil. La tendance à vivre le soir dans des villes très illuminées et à travailler selon des horaires qui ne tiennent aucun compte du jour et de la nuit contribue donc lourdement au décalage de nos cycles. Car notre horloge ne sait plus, alors, à quel saint se vouer.

Heureusement, on peut également utiliser cette lumière à des fins thérapeutiques. Le procédé s'appelle la « photothérapie » (*cf.* p. 170).

Se coucher comme les poules

Cette locution populaire, qui plonge ses racines dans la vie campagnarde, renvoie aux rythmes naturels de l'alternance veille/sommeil, qui sont synchronisés sur ceux de la nature et singulièrement sur ceux des animaux de la ferme. Ainsi minuit marque le milieu d'une nuit commencée vers 8 heures du soir et terminée à 4 heures du matin, ce que rappellent l'aphorisme : « Couche-toi avec l'agneau, lève-toi avec l'alouette » et l'expression « Se lever dès potron-minet ». L'étymologie particulièrement savoureuse de celui-ci mérite d'être rappelée. « Potron » provient du latin *posterio*, « postérieur », et « minet » désigne le chat. Mot à mot, l'expression signifie : « quand le chat montre son derrière », c'est-à-dire quand il se lève.

Pourtant, progressivement, nos rythmes se sont plutôt synchronisés sur les événements de notre vie sociale et culturelle qui nous imposent de débuter notre nuit à l'heure où nos ancêtres en étaient à la moitié.

La perturbation du cycle

Les sociétés industrialisées ont réussi cet exploit de transformer de façon radicale le mode de vie humain qui perdurait depuis des millénaires. On pourrait en conclure que l'homme a acquis ainsi quelques degrés de liberté. Mais il n'est pas bien sûr que l'on puisse impunément transgresser les lois de notre biologie.

Les meilleurs spécialistes du sommeil tirent aujourd'hui la sonnette d'alarme pour attirer l'attention sur le fait que notre société est malade du manque de sommeil. Certaines études montrent que les sujets des pays dits « développés » dorment une heure et demie de moins qu'il y a un siècle.

Le corollaire immédiat est que toutes les enquêtes dans le monde rapportent que 20 % des adultes se sentent suffisamment somnolents durant la journée pour que cela retentisse sur la qualité de leur travail.

> ***Tomber de sommeil***
>
> Cette expression illustre parfaitement ce qui se passe dans la relation de notre cerveau au système musculaire au moment où s'entrouvre une « porte du sommeil ». Dès que nous abordons le sommeil lent, le tonus musculaire diminue au point que nous ne pouvons plus nous tenir debout.
>
> En contrepoint nous trouvons l'expression « Raconter des histoires à dormir debout », qui qualifie un récit tellement extravagant qu'on peut le comparer à cette impossibilité physiologique.
>
> Il est pourtant habituel de trouver des auteurs relatant que les sentinelles dorment debout ou même que le soldat épuisé dort en marchant. Bien qu'il n'y ait pas eu d'études scientifiques concernant de telles observations, on peut cependant avancer l'idée que, dans ces circonstances, il ne peut s'agir d'un sommeil profond mais seulement d'un léger assoupissement, donc peu récupérateur, qui conserve une bonne partie du tonus musculaire nécessaire à maintenir la position verticale ou, a fortiori, à assurer la marche.

AUTRES MODALITÉS DU SOMMEIL

Y A-T-IL UNE HEURE POUR S'ENDORMIR ?

Oui, il y a des heures propices à l'endormissement, ce que l'on appelle les « portes d'entrée dans le sommeil ». Pour la majorité des gens, elles se situent à 14 heures, 16 heures, 19 heures et 22 heures. Celle du début de l'après-midi est la preuve que la sieste correspond à un besoin physiologique que la vie moderne a transgressé. Il est fréquent que l'on ressente alors une sensation de froid qui correspond à une légère baisse de la température corporelle. Le phénomène est d'ailleurs souvent assez brutal et l'expression « Je tombe de sommeil » exprime bien la situation.

La sieste

Oui, la sieste fait beaucoup de bien. Cet épisode de sommeil intentionnel, de durée variable, correspond à une période physiologique de moindre vigilance liée à la baisse temporaire de notre température centrale en début d'après-midi (14 à 16 heures). Elle doit être suffisamment courte pour n'être constituée que de sommeil lent léger (stade I et II, *cf.* p. 25-26). Le passage au sommeil lent profond (stade III et IV, *cf.* p. 26) est déconseillée car le réveil est pénible et la remise en route beaucoup plus longue.

La durée de la sieste est corrélée à un besoin de sommeil génétiquement programmé, donc très variable selon les individus. D'où l'intérêt de bien connaître son type de sommeil pour l'harmoniser avec le rythme et la durée de celle-là.

Cependant, dans les pays développés, les conditions ne sont pas encore réunies pour que chacun puisse, après le repas, faire les 20 minutes de sieste qui le mettraient en forme pour le reste de la journée.

En revanche la sieste est encore la règle en première année d'école maternelle et cela permet aux jeunes enfants de s'adapter progressivement à la diminution de leur temps global de sommeil. D'ailleurs, on peut affirmer, sans risque de se tromper, qu'une courte sieste obligatoire (ou un temps de repos, en silence, sans aucune activité, pour ceux qui y seraient hostiles) en début de chaque après-midi (vers 14-14 heures 30), dans toutes les écoles et tous les lycées, aurait un effet très positif sur les résultats scolaires. Avec un minimum d'imagination, l'organisation matérielle de cette pratique pourrait être assez simple et aurait par la suite des retentissements importants sur la vie des adultes.

La sieste peut aussi être utilisée à titre préventif ou à titre curatif en cas de troubles du sommeil.

Piquer un roupillon

Le roupillon est un micro-sommeil, c'est-à-dire un petit somme, en fait une petite sieste dont nous vantons les bienfaits. Le mot « roupillon » est attesté depuis 1881, mais « roupiller » l'est depuis 1597 et son origine serait espagnole, du terme *ropilla*, « roupille », sorte de manteau dans lequel les Espagnols s'enroulaient pour dormir.

Outre Napoléon (*cf.* p. 18), Bismarck, Gandhi, Churchill ou le président Kennedy étaient des adeptes du roupillon inopiné qui leur permettait de récupérer en quelques minutes.

Depuis deux ou trois ans, au Brésil, une grande entreprise a libéralisé le temps de travail de ses employés en leur permettant, dans certaines conditions, de piquer un roupillon notamment après les repas. Il en a résulté de bien meilleurs résultats.

SOMMEIL ET COMPÉTITION SPORTIVE

Certaines compétitions sportives imposent des temps de veille exceptionnellement longs. Il en est ainsi pour des courses d'endurance à pied ou à vélo. Mais les plus dures sont les régates en solitaire de type transatlantique. En effet, le skipper est alors confronté à la nécessité d'être le plus souvent possible en état de vigilance, à la fois pour des raisons de sécurité et pour mener le bateau à sa meilleure allure.

Il lui faut alors commencer à s'entraîner à terre en accumulant avant la course, dans les jours qui précèdent le départ, un solide capital sommeil. Dès qu'il est en mer, le marin ne peut dormir que très peu d'heures par jour et il doit devenir un dormeur polyphasique, c'est-à-dire ne dormir, le plus souvent, que durant des tranches de sommeil de 20 minutes.

Ces comportements s'éduquent dans les centres de recherche sur le sommeil (il y en a trente en France) sous le contrôle de médecins spécialisés qui commencent par étudier l'architecture du sommeil de chaque candidat à ce genre de performance afin, notamment, de repérer les fameuses portes d'entrée dans le sommeil.

Lorsque les skippers sont mal préparés, ils peuvent, après plusieurs jours de navigation, être sujets à des hallucinations et prendre des décisions dramatiques au péril de leur vie.

De retour à terre, le marin va compenser, en une ou deux nuits, sa « dette » de sommeil grâce à un allongement du temps du sommeil lent profond.

S'endormir comme une masse

Dans certaines conditions, d'aucuns s'endorment de façon brutale, quasiment instantanément en sommeil profond. Ce phénomène s'observe le plus souvent lorsqu'on a accumulé du sommeil en retard et que l'organisme, pour récupérer, a besoin de cette phase particulièrement réparatrice. C'est évidemment le lot de ceux qui ne dorment jamais assez, dont les nuits sont souvent trop courtes du fait de leurs activités et également des personnes qui sont en dépression.

Mais c'est aussi ce qui peut se produire chez un marin lorsqu'il remet le pied à terre avec un lourd déficit de sommeil.

Enfin, dans certains cas, les sportifs sont contraints à des déplacements à longue distance par avion dans les jours qui précèdent une compétition. Le problème est donc celui du décalage horaire exposé ci-dessous, qui devra être traité avec soin par une chronothérapie adaptée à chaque sujet, au risque, dans le cas contraire, de voir les performances s'effondrer.

SOMMEIL ET VOYAGE

Le sommeil est perturbé selon le type de voyage. En effet, les troubles qui apparaissent sont dus à une désynchronisation des habitudes de l'organisme par rapport aux repères quotidiens. Cette désynchronisation ne se manifeste qu'à partir d'un décalage de 3 heures.

Ce décalage horaire, appelé *jetlag* en anglais, est devenu fréquent avec la multiplication des déplacements en avion. Les vols vers l'ouest sont mieux supportés que les vols vers l'est.

On observe alors des troubles du sommeil avec difficultés d'endormissement, réveils nocturnes et difficultés pour se rendormir. Dans la journée, surviennent un mal-être général, une diminution de la vigilance, de la concentration, et des somnolences. Une tendance à l'irritabilité et un malaise psychologique font souvent partie du tableau clinique.

Conseils pratiques

• Il faut se préparer psychologiquement au décalage et, en cas de grande sensibilité, commencer à décaler ses horaires dans le bon sens, d'une demi-heure par jour, les jours précédant le départ.

• Si possible, il faut dormir le mieux possible ces jours-là et faire une petite sieste l'après-midi. Un voyage qui débute dans des conditions de déficit de sommeil sera beaucoup plus mal supporté.

• Il est vivement recommandé de modérer la consommation d'alcool, qui a toujours un effet néfaste sur le sommeil. Il faut aussi boire plus d'eau que d'habitude et ne prendre que des repas relativement légers le jour précédent et pendant le voyage.

• Il est enfin préférable de mettre sa montre à l'heure du pays d'arrivée dès le moment du départ.

• Si le voyage dure plus de 24 heures, il faut tenter de rester éveillé et actif durant les heures de clarté du pays de destination et s'alimenter aux horaires correspondants.

• Un exercice modéré pendant les phases de lumière contribue aussi beaucoup à une meilleure adaptation.

• Pour un voyage vers l'ouest (Paris vers New York), le cerveau devra compenser une journée rallongée de 6 heures. Il est alors préférable de s'exposer plutôt à la lumière du soir et d'éviter un peu celle du matin, donc de se coucher un peu tard de manière à être suffisamment fatigué pour s'endormir vite et se lever un peu plus tard que d'habitude. Le port de lunettes de soleil le matin se révèle intéressant. On estime que, de cette façon, on « récupère » une heure de décalage par jour. C'est dans ce sens que le décalage est le mieux supporté.

• Pour un voyage vers l'est (Paris vers Singapour) le cerveau perd 6 heures sur la journée. Il est alors conseillé de s'exposer plutôt à la lumière du matin et d'éviter un peu celle du soir (lunettes de soleil le soir), donc de se coucher tôt quelle que soit l'heure d'arrivée. Le décalage dans ce sens peut être mal supporté, entraîner une fatigue importante et demander plus de temps d'adaptation.

• Les somnifères, parfois prescrits (1 à 3 prises au maximum pour induire le sommeil), ne sont pas recommandés et ne doivent être utilisés que parcimonieusement. Ils risquent en effet d'aggraver le *jetlag*. Il est toujours possible de s'en passer.

• La mélatonine, seul remède spécifique, n'est pas encore commercialisée en France bien qu'elle ait, très vraisemblablement, un effet positif sur les troubles du décalage.

SOMMEIL ET TRAVAIL POSTÉ

En une centaine d'années, nous avons pratiquement abandonné le repère cardinal de synchronisation du sommeil qu'est l'alternance jour/nuit. Ainsi l'avenir n'appartient plus obligatoirement à ceux qui se lèvent tôt pour aller travailler aux champs dès potron-minet et qui, de ce fait, se couchent avec les poules, quand le soleil disparaît à l'horizon. En devenant « industrielle », grâce à la lumière artificielle produite par l'électricité, la société a bouleversé des habitudes millénaires alors que notre physiologie n'a pas changé. De nos jours, on travaille à n'importe quelle heure sans tenir aucun compte de ses exigences.

Sauter une nuit

Cette belle expression synonyme de « Passer une nuit blanche » ou, pour un architecte, de « Faire charrette », signifie qu'on se prive d'une nuit complète de sommeil comme si on sautait à pieds joints par-dessus. L'ennui est que l'on ne peut « gommer », sur le plan de notre fonctionnement biologique, cette nuit-là et qu'il en résulte des séquelles. Il faudra donc récupérer les nuits suivantes.

Le travail du soir ou de nuit devrait être réservé aux sujets dits « du soir », qui s'adaptent beaucoup mieux à ce décalage de leur sommeil.

Le pire est cependant le travail posté (nommé autrefois « trois huit »), qui propose un rythme de travail tournant, donc irrégulier. Cette situation pose le même problème que le décalage horaire des voyages aériens et le sujet devra apprendre à gérer sa dette de sommeil en utilisant notamment la sieste quand elle est possible.

Les travaux de plus en nombreux sur ce problème laissent espérer sa prise en considération dans la sélection des sujets les plus aptes et dans la durée des jours de récupération.

PRIVATION DE SOMMEIL ET COMPENSATION

Les effets

Il faut insister sur les effets de la privation de sommeil, quelles qu'en soient les modalités et en dehors de tout contexte pathologique. Tous les symptômes observés dans ces circonstances sont centrés sur une baisse de la vigilance et donc une baisse des performances du sujet liée aussi à une fatigue croissante. La réalisation de tout travail devient de plus en plus pénible mais avec des degrés. En même temps, des perturbations psychiques apparaissent.

Les tâches les plus affectées sont celles qui sont soit complexes, soit inintéressantes, soit de longue durée et qui demandent donc une attention soutenue, soit enfin celles récemment apprises ou mal assimilées.

À l'opposé, les tâches courtes, simples, bien apprises et qui intéressent le sujet sont peu altérées pendant un certain laps de temps.

Les atteintes psychiques portent sur l'augmentation de l'irritabilité avec apparition progressive d'un sentiment de persécution et une baisse de la perspicacité. Le sujet néglige son hygiène personnelle et a une sensation de faim accrue.

Les compensations

En cas de manque de sommeil, il faut absolument dormir plus longtemps et différemment, la nuit suivante. D'ailleurs, le cerveau nous l'impose. Dans les nuits qui suivent la privation, les phases de sommeil lent profond, qui est, par excellence, le sommeil récupérateur, sont allongées. La perte en sommeil paradoxal (celui des rêves) n'est compensée qu'ultérieurement, comme si cela avait moins d'importance.

Nous n'avons pas conscience de ces changements de durée dans nos phases de sommeil. Il suffit donc de laisser faire la nature pour que tout rentre dans l'ordre.

Le meilleur traitement à une privation de sommeil est donc le sommeil, le temps de récupération variant avec la durée de la carence. Ainsi, après deux nuits blanches et trois jours d'activité, deux nuits complètes d'au moins 8 heures sont nécessaires et suffisantes pour récupérer une bonne vigilance et un bon niveau de performance psychomotrice. En revanche, une semaine semble utile pour que le sujet se sente tout à fait dans son état normal, les séquelles psychiques étant toujours plus durables que les séquelles physiques.

L'autre cas de figure est celui des privations de sommeil plus modérées mais répétées. Le meilleur traitement est alors encore le sommeil, mais pris de façon courte et fractionnée : une courte sieste, ou le *nap* des Anglo-Saxons. Cela nous renvoie aux problèmes des navigateurs solitaires et des militaires en opération. Une telle sieste prise vers 14 heures est particulièrement efficace pour la récupération.

SOMMEIL ET NUTRITION

On sait aujourd'hui qu'on ne peut pas complètement dissocier la nutrition du sommeil. Il est ainsi établi qu'une alimentation riche en protéines (viande, poisson, œufs...) maintient la vigilance alors que l'absorption de sucres rapides contribue à l'assoupissement. Cependant, on ne peut se contenter de s'adosser à ces études pour combattre les privations de sommeil ou les insomnies. La nutrition considérée sous l'angle des seules grandes catégories d'aliments n'est qu'un appoint thérapeutique. On verra, en revanche, que les micronutriments ont sans doute une très grande importance.

Il faut aussi rappeler que la propension à s'endormir en début d'après-midi n'est liée que partiellement à l'importance de notre repas de midi. Un festin pléthorique est certainement un facteur aggravant, mais, nous l'avons déjà dit, la tranche 14-16 heures correspond à une porte d'entrée dans le sommeil qui se signale à nous quelle que soit notre alimentation.

Le rôle de l'alcool enfin doit aussi être clarifié. Boire du vin ou des boissons alcoolisées nous pousse vers le sommeil, mais il s'agit d'un sommeil de moins bonne qualité qui pourra facilement être accompagné de réveils nocturnes.

Qui dort dîne

Cet aphorisme amusant est très souvent mal interprété. Il ne s'agit évidemment pas de penser que notre corps privé de nourriture trouvera dans le sommeil un substitut à ce manque ou utilisera ce temps pour diminuer son métabolisme et ainsi économiser de précieuses calories.

De fait, l'expression remonte au XVIIIe siècle alors que les hôteliers imposaient à leurs clients de prendre le repas du soir s'ils voulaient avoir une chambre pour dormir. Cette exigence peut encore se rencontrer de nos jours.

Il faut ajouter que bien souvent on interprète ce dicton comme une incitation à ne point trop manger avant de se coucher, ce qui favorise sans doute l'endormissement.

LE SOMNAMBULISME

Ce sujet pourrait être traité dans le chapitre consacré aux maladies du sommeil, mais sa fréquence et son caractère bénin incitent à le situer parmi les modalités du sommeil.

Il s'agit d'un trouble qui se manifeste au cours du sommeil par des comportements complexes et automatiques : le sujet s'assoit au bord de son lit, le visage inexpressif, sans être réveillé ; parfois il se lève et déambule hors du lit, dans la majorité des cas à l'intérieur de la chambre. Plus rarement, il va à la cuisine, sort à l'extérieur et même peut conduire sa voiture. Puis, spontanément, il retourne à sa chambre et se recouche.

Cet épisode se produit presque toujours durant la première moitié de la nuit, plus particulièrement durant les deux premières heures qui suivent l'endormissement et toujours au cours des stades les plus profonds du sommeil.

Si l'on réveille le somnambule, il demeure plusieurs minutes confus et met un certain temps à retrouver ses idées. Si on le brusque, dans plus d'un tiers des cas il réagit de façon agressive en donnant des coups à la personne qui l'a dérangé.

Trois critères cliniques permettent de faire le diagnostic : la personne n'a aucun souvenir de ce qu'elle a fait durant son épisode de somnambulisme ; les épisodes sont souvent courts, durent quelques minutes, mais parfois jusqu'à une demi-heure ; le somnambule semble éveillé, il a les yeux grands ouverts, il est capable de répondre à des ordres ou à des questions dans un langage fruste (par oui ou par non), mais il s'irrite si l'interrogatoire est poussé trop loin.

Ce problème est plus fréquent chez les enfants. De 15 à 30 % d'entre eux auront au moins un épisode de somnambulisme. Seulement 1 à 2 % des adultes en souffrent.

Les causes

Le somnambulisme est héréditaire. Les gènes qui déterminent l'architecture de notre sommeil sont donc en cause, mais ne sont pas encore identifiés. Cela est évident lorsqu'on étudie les vrais jumeaux : le risque de souffrir de cette affection pour un jumeau homozygote (issu du même œuf initial) lorsque l'autre est atteint est six fois plus grand que pour un jumeau hétérozygote (issu d'un œuf différent).

Il y aurait peut-être des mécanismes communs avec l'épilepsie. Dans certaines formes de cette maladie, on observe des déambulations nocturnes chez certains patients. Par ailleurs, certains facteurs favorisant l'épilepsie, comme la privation de sommeil, favorisent aussi les crises de somnambulisme.

Lorsque l'affection se déclenche après l'âge de 20 ans, un traumatisme psychologique peut en être la cause.

Enfin certains médicaments psychotropes, surtout le lithium, utilisé dans le traitement des états maniaco-dépressifs, peuvent déclencher des crises.

Le traitement

Il nécessite l'intervention d'un médecin.

Le traitement médicamenteux par les benzodiazépines a fait ses preuves, en particulier le Valium. On sait que ces produits, en éliminant la phase du sommeil profond, éliminent en même temps le somnambulisme. Mais les résultats ne durent pas. Il faut donc n'utiliser ces remèdes que de façon sporadique, pour des situations particulières comme un voyage ou un camp de vacances.

L'hypnose obtient également des résultats intéressants. Chez 50 % des sujets traités, le somnambulisme disparaît complètement en cinq séances. Le sujet peut alors entretenir le résultat à domicile à l'aide de cassettes d'autohypnose.

Conseils pratiques

Il est recommandé aux somnambules d'éviter les exercices violents en soirée, de dormir à des heures régulières et de faire vérifier les médicaments qu'ils prennent.

Pour les personnes vivant avec un somnambule, il est conseillé de déplacer les objets qui pourraient blesser celui-ci pendant ses déambulations nocturnes, de le faire dormir au rez-de-chaussée pour éviter qu'il ne chute dans l'escalier ou qu'il ne se défenestre, de verrouiller la porte s'il a l'habitude de sortir de la chambre et de ne pas le réveiller sauf s'il est en danger. Si vous suggérez à un somnambule de retourner au lit, dans la majorité des cas, il obéira. Enfin, s'il est nécessaire de le réveiller, il faut être vigilant car sa réaction peut être brutale, voire violente.

LE SOMMEIL ET LES RÊVES DES NON-VOYANTS

Comment dorment les non-voyants ?

Plusieurs travaux récents tentent de répondre de façon scientifique à cette question assez complexe. Une chose est certaine : ces personnes n'ont aucune perception consciente de la lumière, ce qui ne veut pas dire que la lumière ne joue pas un rôle dans la régulation du rythme veille/sommeil. Des explorations récentes ont en effet montré qu'il existe deux circuits de neurones : un qui nous permet de voir et un qui ajuste le rythme veille/sommeil.

Cependant, des enquêtes cliniques sur des populations importantes de non-voyants comparées à des groupes de voyants montrent que l'on y retrouve une haute prévalence d'insomnie, avec diminution du temps de sommeil total et de son efficacité, augmentation de la latence d'endormissement et diminution du temps de sommeil paradoxal (celui des rêves). Il faut ajouter une plus haute incidence d'épisodes involontaires de somnolence diurne.

Comment rêvent les non-voyants ?

Ils rêvent, mais différemment. Dans la mesure où nous construisons nos rêves avec ce que nous percevons, le cerveau ne peut pas inventer des images, des sons ou des odeurs qu'il n'a pas enregistrées au cours de la vie diurne. Pendant la période la plus importante pour le rêve, le sommeil paradoxal, des régions impliquées dans le stockage des images visuelles, des impulsions sonores, des perceptions gustatives ou tactiles, sont activées et notre cerveau vient y puiser ses informations pour créer les représentations construites dans nos rêves.

Un aveugle de naissance ne peut donc pas rêver et ne rêve pas en images. En revanche, les personnes qui ont perdu la vue après leur septième année rêvent en images et cela durant toute leur vie. De même, un sourd de naissance ne peuple pas ses rêves de sons.

Le sens du sommeil et des rêves

Le sujet est épineux, les réponses aux questions sont partielles, multiples et très controversées.

La récupération physique

Cela paraît couler de source que le sommeil présente une fonction de récupération physique. Mais il n'est pas sûr que ce soit la seule ni la principale fonction du sommeil.

Le sommeil semble effacer les fatigues accumulées dans la journée et nous rendre disponibles pour affronter le jour suivant. Mais aujourd'hui les biologistes paraissent moins certains que le sommeil ait essentiellement une fonction réparatrice. Et la notion même de « fatigue » mérite de plus amples investigations. S'agit-il d'une fatigue du corps ou plutôt d'une fatigue nerveuse ou des deux associées ? Et pourquoi y a-t-il deux sortes de sommeils si différentes ? Le sommeil lent, profond et le sommeil paradoxal. Et pourquoi ces deux types de sommeils sont-ils si différents de l'état de veille ?

D'ailleurs, il semble que le repos physique sans sommeil permet de récupérer et de restituer la plénitude de nos fonctions physiologiques. Le sommeil ne serait-il donc qu'un moyen de reposer et de réorganiser nos fonctions cérébrales ?

Certains blessés de guerre victimes d'une atteinte cérébrale sur les centres de la veille et du sommeil passent leur nuit à se reposer sans dormir et continuent à vivre normalement.

LE REPOS DU CERVEAU

Le cerveau se repose-t-il durant le sommeil ? Pas beaucoup, voire pas du tout. Contrairement au reste du corps, le cerveau semble bien en activité ininterrompue. Pendant la phase du sommeil paradoxal, la phase des rêves, il déploie même une activité très intense, ce qui implique une grande consommation d'énergie.

On connaît encore très mal la signification des signaux recueillis par l'EEG. Ils montrent très clairement des changements de rythme. Mais les tracés recueillis correspondent à l'activité globale d'une zone constituée de millions de neurones. Il est possible qu'à l'intérieur de ces zones une partie des cellules se repose pendant que d'autres assurent un travail dont le sens nous échappe encore.

Autres fonctions du sommeil

Il y a donc sans doute d'autres fonctions à découvrir dans le sommeil. Ainsi, il semble qu'il développe et renforce les mécanismes cérébraux qui permettent l'apprentissage. Tout se passe comme si les acquis de la journée se classaient ou se mettaient en ordre pendant la nuit. Même certains problèmes trouvent leur solution au réveil, alors qu'ils nous paraissaient insurmontables la veille.

La nuit porte conseil

Il y a des millénaires que l'homme a fait ce constat étrange qui prouve que le cerveau reste en activité pendant notre sommeil ou tout au moins pendant certaines phases de celui-ci. Curieusement, des problèmes sur lesquels on bute pendant des heures sans parvenir à les résoudre trouvent leur solution, comme une évidence, au matin, dès que le réveil nous renvoie à nos préoccupations de la veille. Il en est de même de décisions à prendre qui soudain s'imposent à nous.

Tout ce passe comme si un travail de mise en ordre, de réorganisation et de confrontations s'était déroulé à notre insu pendant la nuit. Cette propriété de notre cerveau est encore très mal explorée. Sa maîtrise devrait, dans l'avenir, permettre à l'homme de beaucoup mieux exploiter certaines de ses potentialités cérébrales. Il semble que les travaux les plus récents ont montré que la mémorisation du vécu diurne et son engrangement dans des structures cérébrales pérennes se produisent pendant notre sommeil.

Sommeil et mémorisation

Peut-on apprendre en dormant ? Non, malheureusement. Il s'agit d'une escroquerie commerciale qui a fait long feu. Le temps est passé où l'on pouvait apprendre une langue étrangère en plaçant un magnétophone auprès de son oreiller. On se réveillait avec un vrai mal de tête et aucun acquis. Pour apprendre, il faut être bien éveillé et le vouloir. Ce qui n'est possible que si l'on a bien dormi.

En revanche, une vraie nuit de repos après un cours difficile qui a requis toute notre attention facilite le processus de mémorisation et d'intégration.

Il est même désormais démontré, chez les insectes, que les corps pédonculés considérés comme centres du sommeil sont impliqués dans les phénomènes d'apprentissage et de mémoire.

PEUT-ON NE PAS RÊVER ?

Non. Tous les dormeurs rêvent, mais beaucoup ne se souviennent que partiellement de leurs rêves. À la suite des travaux de Michel Jouvet, l'attention s'est focalisée sur la période du sommeil paradoxal, durant laquelle l'activité onirique est facilement repérable puisqu'on se souvient à 75 % de ces rêves-là. On sait aujourd'hui que l'on rêve également durant les phases de sommeil lent, cependant il ne s'agit pas du même type de rêves, mais de reconstructions plus logiques, plus proches de la réalité dont on ne se souvient que dans 45 % des cas.

TERREURS NOCTURNES ET CAUCHEMARS

Les terreurs nocturnes font-elles partie des rêves ? Non, du moins pas des rêves auxquels nous sommes habitués. Fréquentes surtout chez l'enfant, elles n'apparaissent pas durant la phase paradoxale du sommeil, mais pendant la phase lente profonde et, comme le somnambulisme, elles sont très déconcertantes pour l'entourage. On retrouve l'enfant assis sur son lit, poussant des cris d'effroi, les yeux grands ouverts et cependant endormi, dans un état stuporeux. On croirait qu'il visionne un film d'horreur. L'épisode ne dure que quelques minutes et s'accompagne d'une accélération du rythme cardiaque et de transpirations parfois profuses. Assez rapidement, l'enfant se calme et, lorsqu'il se réveille, n'a aucun souvenir de l'événement, ce qui distingue ces terreurs des cauchemars. Les cauchemars se produisant pendant la phase paradoxale du sommeil, ils sont en effet d'authentiques rêves, ils entraînent souvent le réveil du dormeur et laissent des souvenirs qui peuvent persister durant la journée. Les cauchemars ne sont donc que des rêves désagréables.

Nous ne disposons d'aucun moyen très sûr pour agir sur ces épisodes du sommeil. Les terreurs nocturnes disparaissent souvent avant l'adolescence. Et, paradoxalement, des personnes sans aucun problème apparent, à la vie très rangée, peuvent faire des cauchemars chaque nuit.

À QUOI SERVENT LES RÊVES ?

Si la question se pose depuis l'Antiquité, nous n'en savons toujours rien même si de nombreuses théories tentent de combler ce vide de la connaissance.

En 1899, Sigmund Freud publie *L'Interprétation des rêves*, qu'il présente comme un fondement de sa doctrine psychanalytique. Il y défend l'idée que les rêves sont révélateurs d'une vie psychique inconsciente dont ils sont le moyen d'expression. Malgré leur structure qui peut sembler incohérente ou même absurde, ils sont porteurs d'informations et de significations refoulées que le psychanalyste doit apprendre à décrypter pour remonter dans la vie du sujet, en quête de l'explication d'un trouble psychique telle une névrose.

Pour Freud, le rêve serait donc la voie royale vers cet inconscient où se trame une partie de notre vie.

Michel Jouvet, qui a découvert le sommeil paradoxal en 1958, pense que celui-ci, et donc les rêves, serait apparu tardivement au cours de l'évolution avec les animaux à sang chaud (homéothermes), comme les oiseaux et les mammifères. En effet, on ne semble pas trouver de signe de rêves chez les animaux qui les précédèrent, les animaux à sang froid. Il explique que chez ceux-ci, les cellules nerveuses continuent à se diviser tout au long de la vie alors que, chez les animaux à sang chaud, elles cessent de le faire très rapidement après la naissance. Le sommeil paradoxal serait alors un moyen de prendre le relais de la programmation génétique interrompue et de renforcer l'hérédité psychologique. Mais il ne s'agit que de l'une des deux catégories de rêves. Celle produite pendant la phase de sommeil lent reste encore beaucoup plus mystérieuse.

LE SOMMEIL DES ANIMAUX

Il est évidemment plus facile d'expérimenter sur un animal que sur un être humain lorsque les techniques sont invasives. De nombreuses espèces ont donc contribué à faire avancer nos connaissances, notamment les oiseaux domestiques, le chat, la souris, le rat de laboratoire et, à un moindre degré, les primates. Cependant, la transposition à l'homme des résultats obtenus n'est pas simple ni automatique.

Grâce aux animaux, un autre aspect a pu être considéré : celui de l'évolution. Étudier les animaux permet de suivre le sommeil depuis ses premiers balbutiements jusqu'à son état probablement le plus achevé, c'est-à-dire chez l'homme. Et cela permettra sans aucun doute de mieux décrypter la « mécanique » du sommeil chez l'homme, et ses liaisons avec les autres fonctions, peut-être aussi de déterminer quel est son sens et, particulièrement, celui de ces fameux rêves qui, malgré les intuitions de Sigmund Freud, échappent encore à notre analyse.

Tous les animaux qui dorment obéissent au rythme circadien de 24 heures et à l'alternance du jour et de la nuit. Mais les modalités de leur sommeil sont variables à l'extrême.

TOUS LES ANIMAUX DORMENT-ILS ?

Non... mais soyons prudents. Bien souvent, les réponses péremptoires apportées à certaines questions sont invalidées quelques années plus tard par de nouvelles découvertes.

Classiquement, il faut distinguer ici le groupe des animaux qui régulent leur température corporelle (les homéothermes) de ceux qui en sont incapables et restent soumis à la température ambiante (les poïkilothermes). Chez ces derniers, les observations effectuées sur les invertébrés, notamment sur les insectes comme l'abeille, la blatte ou le scorpion, et sur les vertébrés inférieurs, comme les amphibiens ou les poissons, montrent qu'il existe un état de repos sans sommeil proprement dit. Chez les reptiles (tortues, crocodiles, alligators, serpents et lézards), l'électroencéphalogramme permet de reconnaître un état de sommeil « embryonnaire » en quelque sorte. En revanche, c'est avec les homéothermes, oiseaux et mammifères, qu'apparaîtrait le véritable sommeil.

Michel Jouvet a démontré que le sommeil paradoxal, où se produisent des rêves, existe bel et bien chez la poule et le pigeon. Ces épisodes sont plus brefs que chez l'homme mais répétés au cours de la nuit. On peut donc affirmer que les hôtes de nos poulaillers sont soumis aux rêves... sans savoir à quoi cela leur sert !

Récemment, en juin 2006, une publication a fait état de la mise en évidence d'un véritable centre du sommeil dans le « corps pédonculé » du système nerveux de la mouche drosophile. Mais de quel sommeil parle-t-on ?

LE TEMPS DE SOMMEIL DES ANIMAUX

Tous les animaux ne dorment pas selon les mêmes rythmes. Et cela semble le résultat du processus évolutif.

Ainsi on comprend bien pourquoi les proies potentielles des prédateurs dorment moins pour être toujours sur le qui-vive. Les herbivores tels les gazelles ou les gnous sont beaucoup plus souvent en alerte que les lions ou les tigres, qui passent plus de temps endormis qu'éveillés. Sans aller dans les contrées lointaines, le lièvre de nos champs doit aussi se contenter d'un sommeil court et fragmenté.

LE SOMMEIL DES OISEAUX

Tous les oiseaux ne dorment pas selon les mêmes rythmes. On peut même noter de grandes différences.

En fonction des espèces étudiées, les scientifiques vont de surprise en surprise. Ainsi certains oiseaux alternent des périodes courtes de sommeil et des périodes plus longues au cours desquelles ils gardent les yeux ouverts. Pendant celles-ci, l'activité du cerveau est identique à celle de l'état de veille alors que la posture est celle du sommeil. Ce type d'oiseaux est donc capable, paradoxalement, d'être vigilant tout en dormant. On appelle cet état le « sommeil vigile ».

Chez d'autres, notamment les grands migrateurs ou les oiseaux marins qui volent en continu, on peut observer qu'ils ne dorment que durant de brefs instants en fermant alternativement un œil puis l'autre. Il est alors possible d'enregistrer l'activité cérébrale et de constater que l'hémisphère opposé à l'œil fermé présente des signes de sommeil.

On doit voir là un mécanisme d'adaptation qui s'est perfectionné au cours de l'évolution.

LE SOMMEIL DES MAMMIFÈRES

Le sommeil n'est pas identique chez tous les mammifères. Loin de là. Tout est variable, aussi bien la durée totale du sommeil que la répartition des cycles et la durée des périodes de sommeil paradoxal. Il semble que chaque espèce ait adapté son sommeil à son mode de vie.

L'homme adulte et la plupart des primates, comme le chimpanzé, le gorille et l'orang-outang, présentent un sommeil d'une seule traite, en période nocturne, que l'on appelle monophasique. De même la vache ou le cheval dorment rarement dans la journée. Au contraire, la plupart des autres mammifères ont un sommeil polyphasique, ce qui signifie que leur période d'activité est entrecoupée de phases de sommeil. Cela est facile à observer chez le chat, qui passe beaucoup de temps à dormir aussi bien durant le jour que durant la nuit.

Ne dormir que d'un œil

C'est le dauphin qui illustre le mieux, au sens propre, cette expression qui signifie que l'on reste aux aguets. En effet, ce mammifère marin ne dort que d'un hémisphère, pour commander sa respiration, qui est chez lui un acte volontaire alors que celle des autres mammifères est automatique.

Cependant, l'origine de cette expression est plutôt à chercher dans la comparaison avec les animaux qui ont des prédateurs et qui, de ce fait, ne peuvent jamais se laisser aller à dormir comme un loir ! C'est ainsi que l'on trouve son équivalent dans les aphorismes « dormir en lièvre » ou « dormir en gendarme », bien que, dans ce dernier, la maréchaussée en cause ne soit pas une espèce animale et se trouve dans cet état plutôt pour appréhender les malfaisants que pour être leur proie. Pour le lièvre, c'est certain, il ne dort jamais plus de 30 secondes d'affilée, ce qui laisse peu de temps pour l'approcher.

Le cas du dauphin est particulier et exemplaire. En effet, il doit remonter régulièrement à la surface pour prendre de l'air. De plus il ne s'arrête jamais de nager. Dans ces conditions, comment dormir ? La nature a trouvé, au cours de l'évolution, la solution : il ne dort qu'avec un seul hémisphère à la fois.

LES ANIMAUX RÊVENT-ILS ?

Très probablement. Évidemment aucun animal n'a jamais raconté son rêve. Le critère retenu pour affirmer qu'un animal rêve est donc la présence avérée d'épisodes de sommeil paradoxal, fondée sur les enregistrements électroencéphalographiques. Le sommeil paradoxal existe chez tous les mammifères et chez tous les oiseaux qui ont été testés.

EXISTE-T-IL DES ANIMAUX ATYPIQUES ?

Il semble que oui. Dans leur quête pour comprendre comment le sommeil a évolué au cours des millions d'années, les chercheurs ont dégoté des perles rares. Il s'agit de l'échidné, de l'ornithorynque et du dauphin.

L'échidné et l'ornithorynque sont des mammifères considérés comme des fossiles vivants qui, contrairement aux autres mammifères, pondent des œufs et ne sont que partiellement homéothermes. Ils auraient divergé de la lignée évolutive des mammifères primitifs, il y a environ 150 millions d'années. On les trouve en Australie et en Tasmanie. À l'analyse, leur sommeil apparaît comme très singulier. Il ne présente ni les caractéristiques du sommeil lent ni celles du sommeil paradoxal. On se trouve peut-être en présence d'un sommeil primitif à partir duquel auraient évolué les autres types de sommeil connus. Mais tout n'est pas élucidé concernant ces animaux, dont le faible nombre et l'habitat très restreint rendent difficiles les études les concernant. Toutefois des travaux récents semblent indiquer l'existence d'un sommeil paradoxal chez l'ornithorynque. À suivre.

Le dauphin, nous l'avons vu, ne dort que d'un hémisphère. Mais il y a plus. Il semble qu'il n'ait jamais de sommeil paradoxal. Ce qui voudrait dire qu'il ne rêve pas. Il pourrait s'agir d'une exception car d'autres mammifères marins, comme l'otarie ou le phoque, ont un sommeil paradoxal. Cependant, il se peut que celui-ci soit impossible à détecter du fait des conditions expérimentales ou parce qu'il est unilatéral. La familiarité du dauphin avec l'homme et l'exceptionnel niveau d'intelligence qu'on lui attribue semblent incompatibles avec cette absence de rêve. Mais la science nous a habitués à d'autres surprises.

L'HIBERNATION EST-ELLE UN SOMMEIL ?

Non. Il s'agit d'un mécanisme d'adaptation qui permet à certains animaux de résister à des conditions extrêmes, notamment de froid et de manque de nourriture, en provoquant une forme de léthargie qui abaisse la température corporelle de l'animal et sa consommation énergétique de façon drastique. Celui-ci reste donc le plus souvent immobile, à l'abri des intempéries, en attendant le retour de conditions de vie meilleures.

Dormir comme un loir

Ici, l'allusion à l'hibernation, qui n'est pas un sommeil, est nette. Cette vie au ralenti permet à un animal de traverser l'hiver en vivant de ses réserves sans autre dépense énergétique. La tradition populaire, qui ne faisait pas la différence avec le sommeil, a pris cet exemple pour qualifier un sommeil parfait.

Comprendre l'insomnie

Définir l'insomnie

Comme pour le sommeil, la difficulté commence là, dans la définition. Autant il est facile, au cabinet du médecin, de mesurer la pression artérielle et donc de définir une hypertension, autant la lourdeur de mise en œuvre des enregistrements polygraphiques (EEG, EMG, EOG) interdit un diagnostic purement technique de l'insomnie. De plus il arrive que ces enregistrements soient en contradiction avec le vécu du patient.

La définition de l'insomnie sera donc essentiellement subjective et le mot lui-même, qui signifie étymologiquement « absence de sommeil », ne correspond à aucune réalité.

L'insomnie commence lorsque le sujet se plaint d'une insatisfaction durable concernant son sommeil, d'une impression de mal dormir la nuit, associée à un mal-être diurne.

On voit à quel point une telle définition est peu satisfaisante sur un plan scientifique, mais c'est la grandeur de la médecine de considérer l'être humain dans sa globalité et de tout faire pour l'aider à mieux vivre, même si la démarche n'a pas la rigueur d'une démonstration mathématique.

Il faut donc écouter les patients qui se plaignent d'insomnies. En général, ils évaluent très mal leur temps de sommeil et d'éveil au cours de la nuit. Certaines personnes sont même persuadées de n'avoir pas dormi du tout depuis plusieurs nuits alors que cela est impossible et que, d'ailleurs, les enregistrements de sommeil effectués en clinique ne montrent que des perturbations minimes.

Il y a, en fait, une véritable phobie de l'insomnie.

L'INSOMNIE TRANSITOIRE

L'insomnie transitoire fait partie de la vie normale. Il s'agit d'une perturbation du sommeil provoquée par des causes occasionnelles réversibles. On retrouve fréquemment une mauvaise hygiène du sommeil liée au bruit, à une mauvaise literie, à de mauvaises habitudes nutritionnelles, à la prise de café ou d'alcool le soir, à la détestable habitude de regarder la télévision au lit. Les facteurs environnementaux peuvent être déterminants (altitude, climat), de même que les stress de tous ordres, psychiques (contrariétés, deuils, contraintes morales) ou physiques, liés à une maladie intercurrente douloureuse (arthrose). On peut aussi avoir affaire à un effet rebond consécutif à l'arrêt d'un traitement tranquillisant ou hypnotique.

Dans ces circonstances, supprimer ou traiter la cause occasionnelle permettent souvent de venir à bout de l'insomnie. Parfois cependant, la situation devient chronique. L'insomnie est autoentretenue et apparaît alors une insomnie persistante primaire.

LES INSOMNIES CHRONIQUES

Elles constituent un vrai problème médical.

On distingue trois formes : l'insomnie chronique d'origine physique, l'insomnie chronique d'origine psychique et l'insomnie persistante primaire qui suit une insomnie transitoire et qui est aussi la forme la plus fréquente.

L'insomnie chronique d'origine physique

Elle est liée à d'autres pathologies : syndrome des membres sans repos, apnée du sommeil, mouvements périodiques du sommeil, maladie rhumatismale, affection cancéreuse ou neurologique, prise de produits toxiques, comme l'alcool. Il faut alors traiter la cause réelle.

L'insomnie chronique d'origine psychique

Elle accompagne alors une maladie psychiatrique dont elle n'est qu'un symptôme. Ainsi elle représente une plainte précoce du dépressif. Elle se manifeste par une difficulté d'endormissement dans les états maniaques comme dans les états anxieux. Elle est un signe précoce des psychoses et, dans les démences, elle se manifeste par une inversion du rythme normal avec somnolence diurne et vigilance nocturne.

Dans tous les cas, le traitement de la maladie psychiatrique s'impose.

L'insomnie persistante primaire

C'est l'insomnie maladie, la forme la plus fréquente, appelée aussi « insomnie psychophysiologique ».

On peut repérer, dans l'histoire rapportée par le patient, le début de l'insomnie comme insomnie occasionnelle lors d'une circonstance pénible telle qu'un deuil, une séparation, une altercation grave, une mise au chômage. Mais le retour au sommeil normal ne se fait pas malgré la disparition de la cause.

Le sujet rapporte des difficultés d'endormissement et un trouble du maintien du sommeil, qui est perçu comme non réparateur mais, paradoxalement, malgré l'impression de fatigue, il n'y a pas de somnolence durant la journée. Les tentatives de récupérer par des siestes compensatrices échouent, car, à l'instar de ce qui se passe le soir, le sujet ne peut pas s'endormir.

Il est important d'insister sur cette notion d'absence de somnolence diurne, car, à l'inverse, sa présence doit faire rechercher une autre cause, une autre pathologie.

Il faut aussi mettre l'accent sur l'importance considérable que le patient attribue au retentissement de son insomnie sur son travail et sur sa vie durant la journée et la discrétion du retentissement objectif. Les patients se plaignent de troubles de la concentration et de la mémoire sur fond de fatigue chronique alors qu'une évaluation des fonctions cérébrales montre l'absence de perturbation.

On devient donc insomniaque peu à peu, l'anxiété et la phobie de l'insomnie stimulant l'éveil.

LES MODALITÉS DE L'INSOMNIE

Le rêve de tout insomniaque est de dormir sans discontinuité du soir au matin. S'il vient consulter, c'est qu'il est convaincu que son sommeil est gravement perturbé. Pour préciser les modalités des troubles qu'il ressent et tenter d'introduire un minimum d'objectivité dans le diagnostic, il lui est demandé de tenir un agenda le plus fidèle possible des horaires auxquels ces difficultés surviennent. Les résultats ne sont pas toujours probants et ils réclameront parfois en arbitrage un enregistrement EEG auquel il faudra savoir résister si aucun élément ne suggère qu'il s'agit d'une maladie du sommeil.

Quant aux symptômes associés (ronflement, apnées du sommeil, bruxisme), ils sont traités plus loin avec les maladies du sommeil (v. p. 87-93).

Les incertitudes sur l'endormissement

Chez le mauvais dormeur, le passage de l'état de veille à l'état de sommeil est particulièrement mal perçu et les délais d'endormissement très souvent surestimés. Parfois se produisent des réveils très précoces pour lesquels les explications sont confuses.

Il est cependant certain que le dormeur qui n'est encore qu'en sommeil léger peut être réveillé par ses propres ronflements s'ils sont très sonores. Il est alors recommandé de changer de position, ce qui peut diminuer l'intensité du symptôme et permettre un sommeil durable.

Il est tout aussi certain que des myoclonies d'endormissement peuvent se produire. Il s'agit de secousses musculaires brusques, parfois violentes, qui provoquent le réveil dans un sursaut très désagréable avec parfois une sensation de chute dans le vide. Il faut alors quelques secondes au sujet pour réaliser qu'il se trouve dans son lit et qu'il s'est endormi quelques minutes auparavant.

Ces dernières manifestations sont pénibles mais ne sont pas pathologiques si elles ne retardent pas trop l'endormissement. Elles peuvent d'ailleurs cesser de se produire pendant de longues périodes.

Il existe cependant des insomnies dites « initiales », au cours desquelles le sujet essaie en vain de s'endormir en se retournant dans son lit, en regardant l'heure toutes les demi-heures et en ne cessant de penser aux mille préoccupations du lendemain ou à ses inquiétudes sur la santé des enfants et à ses rapports, au travail, avec ses supérieurs.

La tentation est grande, alors, de prendre un somnifère.

L'INSOMNIE DE RÉVEIL EN MILIEU DE NUIT

Dans ce cas, le sujet n'a pas de problème pour s'endormir rapidement mais se réveille trois heures plus tard et a beaucoup de difficultés à se rendormir.

Cette insomnie peut revêtir des modalités très diverses. Comme elle se produit souvent au cours d'une phase de sommeil profond, le sujet met un certain temps à réaliser ce qui lui arrive et présente alors des comportements étranges. Le réveil a lieu dans une grande angoisse souvent accompagnée d'une sensation d'étouffement, de palpitations ou même de mort imminente. Il faut alors prendre le temps de laisser le calme revenir avant de tenter de se rendormir.

Le réveil peut même être totalement confusionnel. Le sujet a alors perdu ses repères. Égaré, désorienté, il ne reconnaît pas le lieu, ne sait plus quel jour il est et accomplit des gestes automatiques dénués de sens.

Si le sujet se lève, il lui arrive de passer une partie de la nuit éveillé et il finit par se rendormir vers 6 heures du matin. Il a alors beaucoup de mal à répondre aux sollicitations impérieuses du réveil qui sonne peu après.

L'INSOMNIE DE RÉVEIL TROP MATINAL

Elle se produit souvent à la fin d'un rêve désagréable qui marque l'achèvement d'un cycle après lequel on ne peut pas se rendormir. Mais il est 4 heures du matin et le soleil ne pointe pas encore à l'horizon. Que faire, sinon attendre que le sommeil revienne, en maugréant et en laissant libre court aux mille pensées qui nous assaillent, ce qui aggrave l'insomnie ?

Elle est fréquente chez les gens stressés qui programment en quelque sorte leur éveil pour retourner se jeter dans l'activité quotidienne, qu'ils redoutent cependant et qui les laissera inertes le soir après une journée trépidante passée dans l'anxiété et l'agitation.

Le traitement passera surtout par une vraie remise en question du mode de vie, mais pourra être considérablement aidé par des traitements de phytothérapie ou d'homéopathie.

La fatigue au réveil

Elle est plus ou moins marquée et dépend plus de l'état psychologique du sujet que du manque réel de sommeil, manque dont nous avons déjà dit qu'il était toujours exagéré par l'insomniaque. La fatigue, en effet, n'est pas qu'une sensation physique qui serait corrélée à un manque de récupération et chacun sait bien que la vraie fatigue musculaire conduit le plus souvent place à un bon sommeil réparateur. L'autre fatigue, celle qu'on appelle « nerveuse », est plus sournoise car elle implique notre vie psychique, dont la maîtrise est plus difficile.

Quelques causes d'insomnies

Des causes déclenchantes

Un bon sommeil nécessite un lieu sécurisant et calme. Il est important de s'aménager un confort suffisant pour préserver le sommeil. Un grand nombre de facteurs sont donc impliqués pour réaliser les meilleures conditions du repos.

Le bruit

C'est un élément perturbant majeur. Il peut empêcher ou interrompre le sommeil. À cet égard, il faut remarquer que les bruits discontinus (passage de trains ou d'avions) sont plus nocifs que les bruits continus (chute d'eau, torrent ou passage de voitures sur une autoroute), auxquels il semble que l'on s'habitue. Cependant une étude approfondie montre que cette nuisance, même si elle ne réveille plus, reste dommageable pour l'organisme. En effet, dans un premier temps, le sujet dort, mais la réponse au bruit reste présente sur l'EEG ainsi que la réponse du système cardio-vasculaire (accélération du rythme cardiaque et augmentation de la pression artérielle). Quelques nuits plus tard, le cerveau s'habitue et l'EEG n'est plus modifié mais la réaction cardiaque perdure. De fait, le système cardio-vasculaire ne s'habitue pas totalement à être dérangé par le bruit et il est probable que certaines élévations chroniques de la pression artérielle trouvent là leur origine. Il en est de même pour certaines fatigues et fragilités immunitaires.

Le bruit perçu dans la journée sur le lieu de travail ou dans les transports peut également avoir des répercussions sur la qualité du sommeil même si la chambre est silencieuse.

Il faut enfin signaler les bruits de ronflements du ou des partenaires de chambrée qui réveillent rarement le dormeur mais perturbent beaucoup les voisins.

Trouver le sommeil

Bien sûr, notre sommeil n'est pas caché dans quelque endroit secret d'où il nous nargue sans que nous puissions le saisir. Cette expression imagée nous évoque les fameuses portes d'entrée dans le sommeil. En cas d'insomnie accidentelle due à une des nombreuses causes possibles de perturbation de nos rythmes de vie, il suffit souvent de résoudre la difficulté en cause pour que s'ouvrent de nouveau les bras de Morphée.

L'obscurité et la lumière

Le degré d'éclairement de la pièce intervient assez peu sur le sommeil. Chacun choisit, selon ses goûts, sa culture ou ses habitudes, l'obscurité totale, la pénombre ou même de dormir volets ouverts. La sieste est parfaitement possible en pleine lumière. Cependant, il est parfois difficile d'harmoniser ces choix avec ceux de son conjoint ou de toute autre personne qui dort dans la même pièce, ce qui peut entraîner des conflits... très peu propices à l'endormissement.

L'hyperactivité

Qu'elle soit physique ou psychique, elle est totalement déconseillée dans l'heure qui précède le coucher. Il faut en effet préparer son sommeil en le faisant précéder d'une période de calme, de lecture ou de jeu par exemple.

La télévision, dont les programmes sont souvent très agressifs, peut ainsi être un facteur très perturbant.

Les conflits

Évidemment on ne peut régler tous ses conflits avant de s'endormir. Certains durent des jours ou des semaines tant qu'une solution de compromis n'a pas été trouvée. Il faudrait tout au moins tenter de les mettre de côté et de ne pas se laisser aller à la rumination obsessionnelle, qui ne règle rien et qui entretient l'insomnie.

Dormir sur ses deux oreilles

On voit immédiatement qu'il ne faut pas prendre cette locution au pied de la lettre, car, à l'évidence, même si on peut choisir l'oreille, on ne peut dormir que sur l'une des deux.

Cet adage signifie simplement que, dans cette situation toute symbolique, aucun bruit ne peut parvenir à nos oreilles pour nous ramener à l'état de veille. C'est que le bruit joue un grand rôle dans le déclenchement des insomnies, même de petits bruits, notamment s'ils sont réitérés. Mais il faut aussi penser au bruit « intérieur ». L'expression nous renvoie donc à l'absence de conflit ou de toute culpabilité qui pourraient réveiller en nous quelques remords ou repentirs. Un synonyme souvent employé serait donc « Dormir du sommeil du juste ».

DES CAUSES FAVORISANTES

La douleur et la maladie

Peut-on dormir quand on a mal ? À l'évidence, oui, mais cela dépend du degré de la douleur ou de la gêne. Ainsi les douleurs articulaires de l'arthrose autorisent souvent l'endormissement, mais le sujet peut se réveiller à l'occasion d'un mouvement qui déclenche ou aggrave le phénomène douloureux.

Certains troubles moteurs qui rendent difficile les changements de position perturbent le sommeil. Il en est ainsi au cours de la maladie de Parkinson, qui est fréquemment associée à un syndrome dépressif qui aggrave l'insomnie.

De même les maladies métaboliques (diabète avec les apnées du sommeil) cardio-vasculaires ou pulmonaires occasionnent des difficultés respiratoires que la multiplication des oreillers améliore peu et qui induisent des phases de réveil nocturne épuisantes.

Dans tous ces cas, le traitement de la douleur et de la maladie en cause doit toujours précéder ou accompagner le traitement de l'insomnie.

La dépression

La dépression est assez facile à identifier avec son cortège de symptômes typiques : tristesse, perte d'intérêt pour les gens, faible estime de soi avec dévalorisation, incapacité à trouver du plaisir au cours d'activités autrefois très appréciées, fatigue physique avec diminution d'énergie et perte d'appétit.

Elle s'accompagne presque toujours de problèmes de sommeil, qui peuvent revêtir toutes les modalités de l'insomnie.

La fatigue

Elle est rapportée le plus souvent comme la conséquence de l'insomnie et représente la plainte la plus fréquemment entendue en consultation. Il faut cependant savoir l'interpréter autrement, car cette fatigue peut être le signe d'un malaise profond, voire d'une maladie sous-jacente ou d'une dépression.

Toutefois, chacun a fait l'expérience de ces journées éreintantes au cours desquelles le sommeil ne vient pas, le cerveau restant en état de vigilance aiguë. Il faut alors savoir être patient, faire progressivement le vide dans sa tête, s'adonner à des tâches apaisantes, boire un liquide chaud non excitant... et attendre que la porte du sommeil s'ouvre.

Le stress, l'anxiété et l'angoisse

Ils sont notre lot quotidien, car ils sont liés à nos problèmes de vie. Certaines personnes y sont particulièrement sensibles et cela retentit sur leur sommeil. Un exemple typique est l'insomnie du dimanche soir liée au stress de la reprise du travail le lundi matin.

Gérer son sommeil, c'est évidemment gérer tous les compartiments de sa vie, aussi bien sociale, personnelle que professionnelle.

L'alcoolisme

Tous les alcooliques chroniques ont un mauvais sommeil, qui ne redeviendra normal que lorsqu'ils seront sortis de leur addiction. Quant à l'excès d'alcool épisodique, il favorise le plus souvent l'endormissement, mais au prix d'une mauvaise nuit avec des réveils multiples et un sommeil qui ne sera pas récupérateur.

L'alcool est toujours un très mauvais moyen de combattre l'insomnie.

Les médicaments et les toxiques

Tous les médicaments ont des effets secondaires, dont certains peuvent être des troubles du sommeil. Il en est ainsi pour les amphétamines, qui sont des excitants du système nerveux ; les anorexigènes, très (trop !) utilisés pour les problèmes d'obésité ; certains antituberculeux ; les bêtabloquants, très utilisés contre l'hypertension artérielle ; la théophylline, souvent prescrite contre la toux ; certains antidépresseurs ; certains hypnotiques : lorsqu'ils sont prescrits à trop forte dose, ils ont l'effet inverse de celui recherché.

Il faut aussi se souvenir que le sevrage d'hypnotique entraîne presque toujours un effet rebond de l'insomnie.

Dans tous les cas, on observe des sensibilités individuelles très différentes vis-à-vis d'un même traitement. Il faut donc en référer à son médecin traitant pour qu'il change ou adapte un traitement à l'origine d'insomnies.

De même certains produits toxiques utilisés en usine ou pour le bricolage peuvent entraîner des insomnies. Citons certains solvants, des produits plastifiants, certains insecticides, colorants et vernis. Tous les risques ne sont pas inscrits sur la fiche du produit. Il faut donc être toujours en alerte si des symptômes apparaissent parallèlement à leur utilisation.

Le terrain génétique

Il existe des familles d'insomniaques. La question est de savoir s'il s'agit d'un trouble réellement inné, génétique, ou d'un trouble acquis par imitation de parents insomniaques. La complexité des mécanismes du sommeil, qui impliquent un grand nombre de gènes, n'a pas permis de trancher entre ces deux hypothèses.

L'INSOMNIE : SYMPTÔME OU MALADIE ?

La façon de concevoir l'insomnie n'est pas sans retentissement sur la façon de la traiter. Il importe donc d'exposer brièvement comment chaque type de médecine aborde les troubles du sommeil pour comprendre les remèdes proposés.

LA MÉDECINE CLASSIQUE

Pendant longtemps la médecine classique, fidèle à son habitude de « tronçonner » le corps en différents organes ou appareils, a considéré l'insomnie comme une maladie du cerveau ou d'une de ses parties encore non identifiée et a tenté de mettre au point des remèdes spécifiques comme pour toutes les autres maladies. L'échec retentissant des médicaments hypnotiques a heureusement conduit à tenter de restreindre considérablement leur prescription au profit d'une analyse plus psychosomatique.

Comme nous l'avons dit dans le début de ce livre, les choses sont en train de changer rapidement et le sommeil est, depuis peu, considéré comme une fonction physiologique à part entière et ses troubles comme un enjeu de santé publique.

LES MÉDECINES ALTERNATIVES

Les médecines différentes dont nous proposons ci-dessous les remèdes considèrent l'insomnie comme un simple symptôme inclus dans un désordre de la totalité de l'organisme, de la même façon que toutes les autres circonstances pathologiques.

Chacune d'entre elles sera présentée au moment de l'exposé des traitements, mais voici brièvement leurs fondements.

L'homéopathie

Il n'y a pas de maladies mais seulement des malades. L'insomnie est un symptôme parmi d'autres. Les remèdes (à très petites doses) des insomnies sont donc adaptés à chaque cas personnalisé.

La nutrithérapie

Les micronutriments catalysent l'ensemble des réactions biochimiques de l'organisme de façon polyvalente. Certains participent de façon très active au métabolisme du système nerveux et contribuent au traitement des insomnies. Ils sont complémentaires de l'homéopathie et de la phytothérapie.

La phytothérapie

L'utilisation des principes actifs des plantes à dose pondérable se fait sous forme d'un complexe (souvent ce qu'on appelle « le totum » de la plante) dont les effets dépassent toujours la seule action sur le sommeil.

L'acuponcture et les médecines énergétiques

Elles considèrent que l'ensemble du métabolisme aboutit à générer une énergie dont la circulation et la répartition harmonieuse induisent l'état de santé. Le symptôme « insomnie » correspond donc à un trouble, parmi d'autres, de la circulation de l'énergie. En agissant sur certains points du corps, par aiguilles ou cautérisation, il est possible de rétablir l'harmonie et de faire disparaître ce symptôme.

Les maladies du cycle veille/sommeil

À côté des insomnies proprement dites qui sont des troubles du fonctionnement normal du sommeil, il existe de véritables maladies du sommeil qui sont des perturbations de la structure même du sommeil, soit d'origine génétique, soit liées à des syndromes ou des maladies comme le diabète, certaines maladies cardio-vasculaires ou respiratoires.

La narcolepsie

Cette maladie génétique du sommeil toucherait entre 30 000 et 50 000 personnes en France, mais elle est mal prise en charge, souvent par absence de diagnostic. Les données épidémiologiques restent floues. Cependant, le diagnostic est de plus en plus précoce, ce qui accrédite son caractère génétique. En effet, en 1940, le délai moyen entre l'âge de l'apparition des premiers symptômes et l'âge du diagnostic était de 52 ans. Il est aujourd'hui de 3 ans.

La narcolepsie se manifeste par des symptômes assez nets. Les sujets qui en sont atteints présentent des endormissements subits et irrésistibles qui se manifestent à n'importe quelle heure de la journée et peuvent durer de 10 minutes à 1 heure. Ces somnolences diurnes ont une caractéristique étrange : l'endormissement se produit directement en phase de sommeil paradoxal (la phase du rêve) et ne survient habituellement qu'à la fin d'un cycle. Le sujet est donc dans un sommeil profond qui ne repose pas, qui ne permet pas de récupération physique. En période de fatigue, ces épisodes anormaux sont plus fréquents.

Ces symptômes doivent conduire à consulter un centre spécialisé en neurologie ou dans l'étude du sommeil. Il existe en effet un traitement efficace à base de Modiodal qui permet de réguler les hypersomniaques et les narcoleptiques.

LA CATALEPSIE

Il s'agit de pertes brutales de tonus musculaire occasionnées par des émotions : grande surprise, grande joie, rire, colère. Lorsque le syndrome se déclenche, tous les muscles se relâchent, le sujet ne peut plus parler, ses jambes ne le soutiennent plus et il chute, il lâche les objets qu'il tient. Pendant de longues minutes, il ne peut plus bouger. Cependant il reste tout à fait conscient de ce qui lui arrive et continue à entendre ce qui se dit autour de lui. La crise cesse lorsque le sujet a retrouvé suffisamment de calme pour dominer l'émotion qui l'a submergé.

Les hallucinations hypnagogiques

Il s'agit de troubles visuels presque toujours désagréables voire monstrueux qui accompagnent l'endormissement ou le réveil. L'environnement, les proches, le conjoint parfois, se présentent sous les traits effrayants d'animaux ou de personnages déformés avec lesquels le sujet peut entrer en relation.

Lorsqu'elles se répètent, ces hallucinations peuvent avoir des conséquences graves sur la santé psychologique du sujet.

Les paralysies du sommeil

Elles se produisent le plus souvent au réveil mais on peut aussi les observer lors de l'endormissement ou en cours de nuit. Bien qu'éveillé, le sujet a la très désagréable sensation de ne pas pouvoir faire le moindre mouvement.

Ces paralysies peuvent être couplées avec des hallucinations qui rendent la situation encore plus pénible.

Les apnées du sommeil

Le terme *apnée* signifie « absence de respiration ». Il est familier dans le domaine de la plongée sous-marine lorsque l'on plonge sans bouteille et que, volontairement, on retient sa respiration, celle-ci étant une fonction normalement indépendante de la volonté. Pendant notre sommeil, bien évidemment, nous respirons pour oxygéner nos cellules.

On parle de « syndrome d'apnée du sommeil » (SAS) lorsque de brèves et fréquentes interruptions de la respiration surviennent au cours de celui-ci et durent plus de 10 secondes. Ces interruptions peuvent se produire plus de cent fois par nuit.

Que se passe-t-il ? Le passage de l'air est interrompu dans les voies aériennes supérieures, ce qui explique que l'on qualifie ces apnées d'« obstructives ». En effet, durant le sommeil, les tissus mous de la gorge se relâchent et la position allongée contribue à l'écrasement progressif du pharynx. Le dormeur, pour éviter l'asphyxie, se réveille brièvement, bouge et retrouve sa respiration.

Bien que beaucoup de ces apnées ne soient pas diagnostiquées, on estime qu'elles concernent 6 % des adultes avec une nette prédominance masculine. La population des plus de 60 ans est la plus touchée et parmi elle les sujets corpulents ou obèses. Aux États-Unis, la proportion atteint 10 % des adultes.

Les conséquences du SAS sont multiples. La première est une tendance à la somnolence diurne. Le sujet a dormi, mais son corps a été mal oxygéné et il ressent, au réveil, une fatigue qui va l'accompagner durant toute la journée et provoquer de brefs épisodes très subits d'endormissement qui durent quelques minutes (5 à 15) et lui procurent d'ailleurs une bonne récupération. Malgré cette compensation, la fatigue entraîne une baisse du pouvoir d'attention, de la concentration et de la vigilance qui peut, par exemple, se mesurer lors de certains tests de conduite.

Les autres conséquences sont le retentissement progressif sur l'appareil cardio-vasculaire et sur les grands systèmes de l'organisme, qui se détériorent du simple fait d'être en état de mauvaise oxygénation permanente.

À l'extrême, le malade présente le syndrome de Pickwick (du nom du célèbre personnage du roman de Charles Dickens), qui rassemble obésité, ronflements très bruyants et apnées qui déclenchent le réveil, ce qui empêche un sommeil profond et récupérateur de s'installer et provoque une fatigue chronique et des endormissements répétés dans la journée.

Traiter le SAS

Le meilleur et premier traitement à appliquer pour les sujets en surpoids (qui sont la majorité des patients présentant un SAS) est l'amaigrissement. En cas d'impossibilité ou de refus de maigrir, il existe un équipement relativement encombrant mais efficace qui supprime les apnées. Il s'agit d'un appareil qui maintient le dormeur sous pression positive continue (PPC) durant la nuit. Un petit compresseur insuffle de l'air sous pression dans les narines à travers un masque nasal. Cet air maintient les voies aériennes supérieures ouvertes et permet une respiration sans effort. On conçoit qu'il y ait quelques difficultés à faire accepter cet équipement aux patients, qui, souvent, ne mesurent pas les conséquences à moyen terme de leur pathologie. De gros progrès ont certes été réalisés pour fabriquer des appareils très silencieux et de petite taille, mais cette orthèse reste une contrainte lourde. Cependant, il faut insister car elle sera assez facilement adoptée après quelques jours d'essais au cours desquels le sujet ressent un mieux-être évident et même spectaculaire, notamment concernant la fatigue diurne, qui disparaît.

Il faut par ailleurs éviter tous les facteurs favorisants la survenue du SAS. En premier lieu, lutter contre toute congestion nasale, par exemple en utilisant un produit anti-inflammatoire et notamment les remèdes homéopathiques ou phytothérapiques. Sur le plan purement mécanique, il existe de petits systèmes naso-dilatateurs qui contribuent à agrandir l'orifice des narines et qui sont très efficaces. Il faut ensuite éviter l'alcool et le tabac, surtout le soir ; supprimer somnifères et tranquillisants ; lutter contre la fatigue et les insomnies non induites par le SAS, car ils aggravent toujours la situation. Il faut enfin éviter de dormir sur le dos (bien qu'il s'agisse de la position la plus physiologique), car elle favorise l'écrasement du pharynx provoqué par le poids des masses graisseuses du cou et donc la survenue des apnées.

Enfin, on peut avoir recours à la chirurgie qui consiste à faire l'ablation d'une partie des tissus mous qui gênent le passage de l'air, c'est-à-dire de trancher dans le voile du palais. On parle alors d'uvulo-palato-pharyngoplastie. Il existe des techniques au laser qui permettent une intervention moins traumatisante. Cependant, les résultats ne sont souvent effectifs que sur les ronflements et relativement maigres sur le SAS lui-même.

Ronfler comme un sonneur

Cette expression particulièrement imagée n'impose pas de longs commentaires tant sa signification est claire. L'importance du ronflement est telle qu'il couvre les sons des cloches.

Les ronflements sont souvent perçus comme très désagréables par l'entourage. Pourtant on trouve chez Jean Giraudoux cette citation : « Vous ronflez ! Quelle chance. Dans mes insomnies, j'ai si peur du silence »[1].

LES RONFLEMENTS

Il s'agit du bruit provoqué par la vibration des tissus mous de la gorge lors de l'inspiration. Durant le sommeil et singulièrement dans la position allongée, ces tissus se relâchent, l'orifice du pharynx a tendance à s'aplatir et l'ensemble vibre sous l'impact du flux d'air inspiré. Des amygdales hypertrophiées et une langue volumineuse sont des facteurs aggravants.

On évalue à 30-40 % le nombre de ronfleurs dans la population adulte. Après 60 ans, le pourcentage est de 60 % pour les hommes et de 40 % pour les femmes.

Les ronflements accompagnent pratiquement toujours le SAS, qu'ils précèdent souvent. Comme pour celui-ci, l'amaigris-

1. Jean Giraudoux, *L'Apollon de Bellac*, 1947.

sement est un excellent moyen de diminuer ou de faire disparaître les ronflements et toutes les recommandations précédentes données pour le SAS sont également utiles pour lutter contre les ronflements.

Le bruxisme

Phénomène moins fréquent que le ronflement, le bruxisme est dû aux frottements des dents les unes contre les autres pendant le sommeil. On l'observe le plus souvent chez l'enfant. Ces mouvements induisent un grincement qui, pour être moins sonore que le ronflement, n'en est pas moins très énervant pour les voisins de lit.

Le bruxisme peut entraîner des douleurs des articulations temporo-maxillaires, une hypertrophie des muscles masticateurs et une usure dentaire. Le seul traitement consiste en l'utilisation, pendant la nuit, d'une plaque protectrice (une « gouttière ») fabriquée par un dentiste.

Le diagnostic de l'insomnie

Évaluer son insomnie

Il s'agit d'une quête personnelle qui peut être un excellent moyen d'accéder, d'une part, à une meilleure compréhension du fonctionnement de son corps et, d'autre part, à une remise en question de l'organisation de sa vie. Chacun peut facilement déterminer si une insomnie est accidentelle ou en train de devenir chronique et en appréhender les modalités pour modifier son hygiène de vie et tenter, par une automédication intelligente, d'en venir à bout. Ce livre est fait pour les aider.

LES RÔLES DU MÉDECIN ET DU PSYCHOLOGUE

Le rôle du médecin et celui du psychologue sont de première importance, d'abord pour conseiller et orienter, ensuite pour diagnostiquer une maladie à laquelle l'insomnie serait liée et enfin pour prescrire, le cas échéant, un traitement.

Les patients ne se confient jamais assez sur le sujet de l'insomnie, qui est souvent évoqué en fin de consultation, sur le pas de la porte. Le sommeil est alors trop souvent l'objet d'une prescription hâtive et pas toujours adéquate.

Le trouble du sommeil doit au contraire représenter l'objet central de la consultation, ce qui permet souvent d'évoquer les vrais problèmes de vie. Le recours à une psychothérapie peut être alors conseillé.

Le médecin est enfin la seule personne habilitée à proposer une consultation en centre spécialisé afin d'approfondir le diagnostic pour confirmer ou éliminer une véritable maladie du sommeil.

Traiter l'insomnie

Avant toute médication

Traiter les causes

La première préoccupation du médecin est de s'occuper des causes directes évidentes et notamment de la douleur, par exemple chez un malade accidenté, mais aussi chez un malade grave comme un cancéreux. Il peut s'agir de troubles respiratoires (asthme) qui perturbent gravement le sommeil.

Les traitements appropriés doivent alors être prescrits, mais le recours à des remèdes somnifères peut aussi être indiqué. Dans toutes ces circonstances, le médecin est le seul habilité à prendre des décisions.

Assurer l'hygiène du sommeil

Tous les moyens sont bons pour préparer un vrai sommeil réparateur et pour en favoriser le déroulement. Une grande attention doit être portée à la qualité de l'environnement, au bruit, qui est, à l'évidence, un grand ennemi du sommeil, à la qualité de la literie, à la température de la pièce, éventuellement au décor.

Il est aussi toujours préférable d'avoir une chambre qui ne soit pas, en même temps, un lieu pour la vie diurne. Ainsi, la télévision n'a certainement pas sa place en face du lit d'un insomniaque.

Il faut bannir tous les excitants. Dans les deux heures qui précèdent le coucher, il est préférable : d'éviter le café ou d'autres sources de caféine (thé, chocolat, boissons gazeuses supplémentées en caféine), d'éviter de fumer (de même lors des éveils nocturnes), d'éviter de prendre de l'alcool, d'éviter un exercice sportif intense.

Un léger repas avant le coucher peut-être bénéfique.

Il faut aussi lutter contre les mauvaises habitudes : réapprendre à se coucher plus tôt et cesser de sortir tous les soirs ; souvent les noctambules ont un sommeil décalé mais ils peuvent devenir insomniaques. Réapprendre à dormir dans une position plus physiologique, sur le dos par exemple.

L'ensemble de ces prescriptions d'hygiène est précisé sous forme de douze conseils pour bien dormir (*cf.* p. 174-177).

GÉRER SON INSOMNIE

Une insomnie laisse de mauvais souvenirs et le sujet qui l'a vécue peut rester dans la crainte de voir se renouveler cette expérience désagréable. Si les choses perdurent, une véritable phobie peut s'installer qui entretient l'insomnie.

Il faut se persuader qu'il s'agit toujours d'une expérience très subjective. Chaque personne doit donc s'en occuper sans tenir compte des conseils de ceux qui souvent aggravent les choses par leur pessimisme, et en se tournant vers les optimistes qui pousseront vers des solutions positives.

Il faut savoir que tous les troubles de notre sommeil nous rendent moins objectifs et que l'on a toujours tendance à en exagérer l'importance et à leur attribuer tous les déboires de la journée. Le stress s'installe alors et entretient l'excitation de nos systèmes de veille, ce qui crée un véritable cercle vicieux.

Dormir en chien de fusil

Bien qu'il n'y ait plus de « chien » sur les fusils modernes, l'expression existe toujours. On pourrait la remplacer par « Dormir en position fœtale », mais tout le monde ne sait pas, non plus, quelle est exactement la position du fœtus dans le ventre maternel. Il s'agit d'une position bien inconfortable et assez peu pratiquée (sauf durant le sommeil ou certains moments de celui-ci) en dehors de notre vie utérine. Les coudes sont collés au corps et les avant-bras fléchis sur les bras, les genoux sont serrés et ramenés vers la poitrine et la tête baissée se rapproche des genoux.

Cette position n'est pas la meilleure pour se relaxer et nous laisserons le soin aux psychanalystes d'en interpréter la signification. On dort certainement mieux sur le dos (mais cela aggrave les ronflements et les apnées du sommeil) ou sur le côté.

De fait, chacun dort comme il peut ou comme il se sent le mieux, sans vraiment choisir sa position, et cela laisse la porte ouverte à toutes les considérations sur le fonctionnement de notre inconscient.

Les médicaments conventionnels

Les Français sont les premiers consommateurs mondiaux d'hypnotiques. Ils en utilisent trois fois plus que les autres pays d'Europe !

On estime que 7 % de la population française utilisent des médicaments pour s'endormir, avec ou sans prescription.

Les remèdes chimiques (appelés hypnotiques ou somnifères) sont utilisés dans la majorité des cas pour traiter l'insomnie, du moins en première intention. Leur but est de réduire la vigilance et de faciliter l'installation et le maintien du sommeil sans tenir compte de l'origine de l'insomnie.

Ils ne sont délivrés que sur prescription médicale et pour une durée courte non renouvelable sans un nouvel avis médical.

Leur étude exhaustive n'entre pas dans le cadre de cet ouvrage et nous n'insisterons que sur leurs risques.

LES HYPNOTIQUES

L'hypnotique idéal existe probablement dans notre organisme. Sans doute s'agit-il plutôt d'un ensemble de molécules sécrétées par les cellules du cerveau, capables de réguler harmonieusement l'alternance veille/sommeil. Mais nos connaissances sont encore très restreintes sur ce sujet. Pour pallier notre ignorance, les pharmacologues ont mis au point des remèdes capables d'induire artificiellement le sommeil en agissant de façon ponctuelle et très ciblée sur des réactions métaboliques de nos neurones.

Plusieurs produits psychotropes appartenant à des familles chimiques différentes sont donc proposés pour induire le sommeil. Ils ont des mécanismes d'action variés et provoquent tous des effets secondaires.

L'hypnotique idéal n'existe pas.

Les barbituriques

Ce sont les plus anciennement connus et utilisés. Ils sont aujourd'hui abandonnés dans cette indication. Citons quelques produits qui restent dans toutes les mémoires : Gardénal, Imménoctal, Aparoxal, Épanal, Optonox, Sonéryl.

Les neuroleptiques sédatifs

Le Largactil, un des tout premiers utilisés dès les années 50, et le Nozinan sont actuellement abandonnés dans cette indication.

Les antihistaminiques

Ces produits, surtout utilisés en cas d'allergie, avaient comme effet secondaire de rendre le patient somnolent. Citons le Phénergan, le Théralène, le Nopron. Le seul encore parfois utilisé contre les insomnies est l'Atarax.

Les antidépresseurs

C'est la famille des benzodiazépines (BZP), mise au point pour traiter la dépression, qui a pris la relève des produits précédents.

Les benzodiazépines

Ce sont de bons hypnotiques, plus ciblés et plus efficaces, avec moins d'effets secondaires que les barbituriques, mais ils doivent cependant être utilisés à bon escient et pour une durée limitée. Citons le Mogadon, l'Halcion, le Normison, le Rohypnol.

Les nouveaux hypnotiques

Deux molécules relativement récentes, différentes mais proches des BZP, sont les plus utilisées aujourd'hui. Il s'agit de produits qui ont unc activité hypnotique encore meilleure, des effets indésirables rares et qui sont bien tolérés par l'organisme. Ils se rapprochent donc de l'hypnotique idéal. Ce sont le zolpidem (nom de spécialité : Stilnox) et la zopiclone (nom de spécialité : Imovane).

LES INDICATIONS

L'indication idéale pour un hypnotique chimique est l'insomnie aiguë réactionnelle. Cela concerne un sujet qui vient de vivre plusieurs « mauvaises nuits », qui a l'impression de s'enfoncer dans un marasme dont il a peur. Il demande de l'aide à son médecin, qui, pour le rassurer, lui prescrit quelques jours de somnifère. Mais il faut insister sur le fait que cette prescription n'a de sens que si elle est accompagnée d'un entretien orientant le patient (avec insistance) vers une meilleure hygiène du sommeil et une résolution des problèmes de vie.

LA POSOLOGIE ET LES PRÉCAUTIONS

Répétons-le, ces produits ne doivent être prescrits que dans des cas très précis et pour de courtes périodes. La prescription ne doit pas excéder 2 à 3 semaines. La durée maximale autorisée est de 4 semaines.

On ne devrait donc plus voir de patients ayant absorbé durant plusieurs années de nombreux hypnotiques à doses croissantes, pour lesquels le sevrage est devenu un nouveau problème pathologique.

LES EFFETS SECONDAIRES

Tous les hypnotiques affectent l'architecture du sommeil. Ainsi les durées relatives de chaque stade sont modifiées. Il en résulte une altération de la qualité du sommeil même si sa durée et sa continuité sont améliorées.

Mais le plus redoutable des effets secondaires est lié à la lenteur de l'élimination du produit, variable selon chaque molécule et chaque individu. L'hypnotique perdure donc dans l'organisme durant la phase de veille, le lendemain. Il induit alors le phénomène de la « gueule de bois » : le sujet a du mal à se concentrer, ne se sent pas bien, il est somnolent, ses réflexes sont diminués et il est alors conseillé de ne pas conduire de voiture.

La dépendance, le problème majeur

Tous les hypnotiques sont très actifs au début du traitement. Mais peu à peu le cerveau s'habitue et l'efficacité s'épuise, le plus souvent en quelques semaines. C'est alors qu'apparaît la dépendance.

Celle-ci n'est pas très facile à cerner quel qu'en soit le type. Pour la qualifier, il faut observer la présence simultanée, durant les douze derniers mois, d'au moins trois des critères suivants :

– apparition d'une tolérance au produit, ce qui se traduit par le besoin d'augmenter la dose pour avoir le même effet, ou observation d'un effet moindre en utilisant la même dose ;

– apparition d'un syndrome de sevrage qui se traduit par l'apparition de symptômes physiques ou psychiques lors de tentatives d'arrêt de la substance ;

– constatation de prises plus fortes ou plus longtemps que prévu par le médecin ;

– désir d'arrêter sans y parvenir ;

– réduction nette des activités sociales ou de loisirs du fait de la prise de la substance ;

– prise de conscience d'un gaspillage de temps passé à rechercher l'acquisition de la substance ou d'un long temps de récupération après sa prise ;

– usage persistant de la substance malgré la connaissance des effets secondaires induits (problèmes physiques ou psychologiques).

LE SEVRAGE

Le sevrage doit toujours être très progressif. Les remèdes de phytothérapie et d'homéopathie peuvent grandement aider pendant cette période.

À l'arrêt du produit, on peut observer des troubles du sommeil, des vertiges, des vomissements, des crampes d'estomac, des troubles de la miction (émission d'urine), de l'angoisse, des cauchemars et surtout un effet rebond, auquel il faut préparer le sujet. En effet, celui-ci se retrouve souvent avec des insomnies pires que celles qu'il avait avant tout traitement. Il est alors parfois difficile de le convaincre de ne pas reprendre ses médicaments hypnotiques.

LES CONTRE-INDICATIONS

Il revient au médecin de déterminer les nombreuses contre-indications aux hypnotiques.

Retenons cependant les insuffisances respiratoires, qui sont toujours aggravées du fait d'une action négative de ces remèdes sur l'activité des centres respiratoires.

Les somnifères doivent être évités chez les personnes âgées car ils entraînent un délabrement progressif de la mémoire.

Enfin, on doit s'abstenir en cas de conduite de véhicule automobile ou de travail sur des machines où une somnolence passagère peut entraîner des catastrophes.

LES AUTRES REMÈDES

La médecine moderne, qui n'a guère plus de 100 ans d'ancienneté, commence seulement à s'intéresser à la prévention.

Cependant, au cours des siècles, d'autres moyens thérapeutiques ont été développés qui lui ont laissé une plus large part. Nos Anciens qui avaient, de l'homme et de l'univers, une vision plus syncrétique, ne concevaient pas de découper le corps en morceaux isolés ni de le séparer de l'esprit et d'une entité nommée l'âme. Sans franchir les limites de la superstition ni aborder aux rives de la religiosité, il est bon d'adhérer de nouveau à cette idée que l'homme constitue un tout, corps et esprit indissociables, et que cette unité doit être appréhendée dans tout effort de prévention ou de traitement.

Bien qu'ils n'aient pas toujours été validés par la science médicale contemporaine, ces moyens trouvent ici une large place parce qu'ils sont d'une réelle efficacité dans la prévention et la lutte contre l'insomnie.

L'HOMÉOPATHIE

L'homéopathie est une méthode thérapeutique très utilisée mais dont les fondements sont encore souvent mal connus. Inventée à la fin du XVIIIe siècle par un médecin allemand de génie, Samuel Hahnemann, elle est aujourd'hui validée par les résultats cliniques obtenus dans de nombreux domaines de la pathologie. Il convient d'en rappeler brièvement et clairement les principes.

Elle consiste à donner, à l'individu malade, à doses très faibles ou même infinitésimales, la substance qui provoque, à forte dose, chez une personne en bonne santé, des symptômes comparables à ceux du malade. Elle applique, alors, le principe dit « de similitude »

Les règles en sont simples. Toute substance active sur le fonctionnement du corps humain provoque chez un individu sain et sensible un ensemble de symptômes caractéristiques de cette substance. Par exemple : le café provoque une accélération du rythme cardiaque (tachycardie), une augmentation de l'élimination de l'urine et une excitation nerveuse avec insomnie et hypersensibilité à tous les stimuli. Ces signes, facilement observables, s'appellent des symptômes.

Tout individu malade présente un ensemble de symptômes caractéristiques de sa maladie. Par exemple : un sujet fatigué par un excès de travail intellectuel se trouve dans un état d'excitation avec insomnie entretenue par un flux de pensées, tendance à l'euphorie et hypersensibilité aux bruits, à la lumière et au simple contact. Il a une fréquente tendance à la tachycardie.

La guérison de ce sujet, démontrée par la disparition des symptômes, peut être obtenue par l'ingestion à doses faibles ou infinitésimales de la substance dont les symptômes expérimentaux chez l'individu sain sont semblables à ceux du malade. Ainsi, le remède *Coffea* 7 CH (du café très dilué) doit améliorer ou guérir le patient décrit ci-dessus.

Mais l'homéopathie n'est pas appréhendée dans sa plénitude si l'on s'en tient au principe de similitude expliqué ci-dessus. Car cette méthode implique, de plus, la connaissance de l'ensemble des symptômes détaillés et des modalités de vie d'un individu pour pouvoir choisir les bons remèdes qui seront en fait de véritables régulateurs de nos fonctions cellulaires.

L'homéopathie est donc une médecine de la personne humaine toujours considérée dans sa globalité.

Homéopathie et prévention

Toute personne s'intéressant à la méthode homéopathique en arrive donc, seule ou aidée d'un praticien, à déterminer les quelques remèdes qui correspondent aux réactions habituelles de son corps et aux manifestations de son esprit.

Ces remèdes sont capables de remettre en équilibre les grandes fonctions du corps, d'harmoniser nos métabolismes et donc de jouer un rôle préventif très efficace. Des générations de médecins, depuis deux siècles, en ont affiné la technique et éprouvé l'efficacité.

Il est vraisemblable que le « secret » de l'homéopathie réside d'une part dans la capacité des remèdes à moduler et à stimuler nos défenses immunitaires et, d'autre part, à intervenir dans les échanges d'informations qui se produisent à chaque fraction de seconde entre nos milliards de cellules. Tout se passe comme si les produits homéopathiques bien choisis en fonction d'un tempérament (on parle de « typologie ») avaient la capacité de remettre de l'ordre dans des circuits détériorés ou brouillés afin d'aider à l'autoréparation de nos cellules et de nos organes.

On a donc en main un système de prévention d'une incroyable subtilité, qui intervient longtemps avant que des désordres graves voire irréparables ne se produisent. Encore trop peu utilisée, l'homéopathie acquiert peu à peu le statut de science dont les développements, dans le futur, pourraient profondément remanier la pratique médicale.

Il faut ajouter que l'action de l'homéopathie ne s'exerce pleinement que dans le cadre d'une bonne hygiène de vie.

La présentation des remèdes

En France, les remèdes homéopathiques se présentent le plus souvent sous la forme de petits granules ou de petits globules de sucres (mélange de saccharose et de lactose) contenus dans de petits tubes en matière plastique. Le principe actif est donc imprégné dans le sucre.

Ces deux formes galéniques, granules et globules, sont strictement équivalentes quant à l'efficacité thérapeutique. Le plus simple est donc de s'en tenir à l'utilisation des granules, qui coûtent le moins cher.

Les tubes de granules sont équipés d'un bouchon qui permet de les délivrer un par un.

La dilution des remèdes

En homéopathie, la dilution est un temps essentiel pour l'obtention du remède. Pour une grande partie des remèdes, on part d'une teinture mère, qui contient tous les principes actifs du produit, et on dilue de 10 en 10 de façon très rigoureuse en milieu alcoolique. On obtient ainsi successivement des dilutions que l'on nomme DH (dixième hahnemannienne) et CH (centième hahnemannienne). Pour les remèdes d'origine minérale insolubles dans l'eau ou l'alcool, on procède d'abord par trituration (mélange) dans du lactose. On admet qu'à partir de la troisième trituration, les substances insolubles peuvent être mises en solution et l'on est ramené au cas précédent.

Le chiffre associé à DH ou à CH précise la hauteur de la dilution. Ainsi arnica 3 DH signifie que le remède est dilué 3 fois au 1/10 ; il s'agit donc d'une dilution au 1/1 000. De même, coffea 7 CH signifie que le remède est dilué 7 fois au 1/100 ; il s'agit donc d'une dilution au $1/10^{14}$, soit une dilution au cent mille milliardième.

L'application à l'insomnie

L'insomnie, nous l'avons vu, n'est qu'un symptôme lié à d'autres troubles ou difficultés de la vie.

Il est souvent utile de consulter un médecin homéopathe pour débrouiller l'ensemble des problèmes. Cependant, on peut commencer, en automédication, à utiliser les remèdes homéopathiques.

La posologie et le rythme des prises

Un granule a autant d'efficacité que 3 ou 5.

En revanche, le rythme de répétition des prises est important. La règle est de prendre le remède d'autant plus souvent que la crise est aiguë.

En cas d'insomnie récente, il faut prendre 1 granule du ou des remèdes cinq à six fois par jour et, dans tous les cas, une fois avant de se coucher, pendant deux semaines.

En cas d'insomnies chroniques, il faut prendre 1 granule matin et soir et au moment du réveil durant la nuit, pendant plusieurs mois.

Le choix du remède et de la dilution

Le choix parmi les quinze remèdes présentés ci-après est fonction des symptômes, c'est-à-dire basé sur le principe de similitude expliqué plus haut.

Quant au choix de la dilution, il répond à des critères simples. Plus les symptômes sont localisés à une partie du corps, plus on utilise une dilution basse. Plus les symptômes sont généralisés à l'organisme, plus on monte en dilution. Pour les problèmes liés au sommeil concernant le cerveau, qui est notre organe directeur, on aura donc tendance à utiliser des dilutions moyennes ou hautes : à partir de 7 CH et 9 CH, et ne pas hésiter à passer à 15 CH et 30 CH pour continuer le traitement d'une insomnie déjà chronique.

Aconit

Origine : la plante entière.

Champ d'activité

Début de toutes les affections inflammatoires fébriles. Système cardio-vasculaire. Irritation du système nerveux.

Application aux troubles du sommeil

Utiliser la dilution **7 CH** pour traiter des insomnies liées à des névralgies, à des poussées anxieuses avec agitation intense et à des états fébriles.

Ambra grisea

Origine : on utilise l'ambre gris, c'est-à-dire les calculs biliaires et pancréatiques rejetés par le cachalot.

Champ d'activité

Hypersensibilité nerveuse. Trac et spasmes. Dépression.

Application aux troubles du sommeil

Utiliser la dilution **9 CH** pour traiter des insomnies liées à des soucis professionnels ou familiaux, c'est-à-dire pour des insomnies qui commencent très tôt en début de nuit.

Argentum nitricum

Origine : le nitrate d'argent.

Champ d'activité

Grand remède du trac. Laryngites très douloureuses.

Application aux troubles du sommeil

Utiliser la dilution **7 CH** pour traiter une insomnie de début de nuit provoquée par le stress et l'excitation de la journée du lendemain.

Arnica montana

Origine : la plante entière fleurie.

Champ d'activité

Tous les traumatismes physiques. Système cardio-vasculaire. Dépression après un choc psychologique. Grandes fièvres graves avec agitation.

Application aux troubles du sommeil

Utiliser la dilution **9 CH** pour traiter des insomnies survenant après un travail pénible avec courbatures importantes ou après un choc psychologique important.

Chamomilla

Origine : la plante entière fleurie nommée « matricaire ».

Champ d'activité

Dentition de l'enfant. Enfant ou adulte caractériels.

Applications aux troubles du sommeil

Utiliser la dilution **7 CH** pour traiter les troubles du sommeil chez les enfants ou les adultes hypersensibles, coléreux et insatisfaits.

Cimicifuga (ou *Actea racemosa*)

Origine : les racines de la plante du même nom.

Champs d'activité

Troubles des règles, de la grossesse et de l'accouchement. Troubles articulaires. Troubles nerveux.

Application aux troubles du sommeil

Utiliser la dilution **9 CH** pour traiter un sommeil agité avec rêves angoissants, impression de malheur imminent et réveils nocturnes nombreux.

Coffea cruda

Origine : le café, dont on utilise la graine privée de tous ses téguments.

Champ d'activité

Système nerveux central.

Application aux troubles du sommeil

Utiliser la dilution **9 CH** pour traiter une insomnie d'endormissement en relation avec un état de surexcitation mentale occasionnel avec sensation d'euphorie, afflux de pensées.

Gelsémium

Origine : la racine du jasmin de Virginie.

Champ d'activité

Trac sous toutes ses formes. Grippe.

Application aux troubles du sommeil

Utiliser la dilution **7 CH** pour traiter des insomnies chez un individu particulièrement sujet au trac et accablé par des conflits affectifs ou professionnels.

Hyoscyamus niger

Origine : la plante entière fleurie appelée « jusquiame noire ».

Champ d'activité

Système nerveux central. Excitation avec spasmes nerveux. Cauchemars de l'enfant.

Application aux troubles du sommeil

Utiliser la dilution **9 CH** pour traiter des insomnies avec cauchemars ou rêves difficiles. Particulièrement efficace chez l'enfant.

Ignatia

Origine : la graine de la fève de saint Ignace.

Champ d'activité

Hypersensibilité paradoxale de tous les organes. Anxiété paradoxale. Spasmophilie. Trac sous toutes ses formes.

Application aux troubles du sommeil

Utiliser la dilution **9 CH** pour traiter des insomnies de type paradoxal, c'est-à-dire disproportionnées par rapport à leur cause ou de survenue inattendue après un événement mineur.

Kalium phosphoricum

Origine : le phosphate dipotassique.

Champ d'activité

Grand remède de l'asthénie physique et psychique.

Application aux troubles du sommeil

Utiliser la dilution **7 CH** pour traiter une insomnie chez un dépressif épuisé nerveusement, avec faiblesse musculaire après un long surmenage, ou chez un convalescent.

Lachesis mutus

Origine : le venin d'un serpent d'Amérique du sud.

Champ d'activité

Troubles veineux. Jalousie. Ménopause. Hypersensibilité.

Application aux troubles du sommeil

Utiliser la dilution **9 CH** pour traiter des insomnies avec réveils répétés dans la nuit et rêves terrifiants dans l'intervalle, souvent orientés vers la mort ou l'enterrement.

Nux vomica

Origine : la noix vomique, graine du vomiquier.

Champ d'activité

Hypersensibilité nerveuse. Hypertension. Troubles digestifs. Migraines. Sédentarité.

Application aux troubles du sommeil

Utiliser la dilution **9 CH** pour traiter un sommeil agité avec fréquents réveils nocturnes, paroles durant les phases de sommeil, meilleur repos en fin de nuit et mauvaise humeur au lever.

Staphysagria

Origine : la staphysaigre, ou herbe aux poux.

Champ d'activité

Hypersensibilité aux contrariétés. Démangeaisons intenses. Excitation sexuelle.

Application aux troubles du sommeil

Utiliser la dilution **9 CH** pour traiter des insomnies survenant après une colère ou une indignation refoulée.

Sumbul maschatus

Origine : la plante, dont on utilise la racine.

Champ d'activité

Système nerveux.

Application aux troubles du sommeil

Utiliser la dilution **7 CH** pour traiter une insomnie causée par l'émotivité et l'anxiété avec sensation de constriction au niveau de la gorge, palpitations et bouffées de chaleur.

Conseils pratiques

En cas de doute sur le choix ou si les symptômes correspondent à plusieurs remèdes, il est toujours possible de prendre conjointement deux ou trois remèdes pour couvrir la totalité du champ symptomatique.

L'absence de toute contre-indication concernant les remèdes homéopathiques rend l'automédication possible et facile. Cependant, si les symptômes de l'insomnie persistent, il faut avoir recours à son médecin habituel.

Les remèdes de terrain (les polychrestes)

Rappelons que l'homéopathie est une médecine de la personne. Il peut donc être utile, surtout pour traiter une insomnie chronique, d'associer à un ou deux remèdes symptomatiques un autre qui agira plus en profondeur, un remède de régulation correspondant au tempérament du sujet malade. Ce produit est appelé polychreste. Son choix est du ressort du médecin homéopathe, qu'il sera bon de consulter après les premiers essais d'automédication.

LA PHYTOTHÉRAPIE

Jusqu'au milieu du XXe siècle dans les pays industrialisés – et encore maintenant pour beaucoup de pays moins développés –, les plantes sauvages constituaient une partie de l'alimentation. On peut citer en exemple le pissenlit des champs, la sauge ou l'ortie. Ces plantes aliments ont des vertus régulatrices bien connues aujourd'hui. Curieusement, elles renvoient à l'aphorisme célèbre d'Hippocrate : « Que ta nourriture soit ton médicament. »

Aujourd'hui, les tisanes de nos grands-mères connaissent un regain d'intérêt depuis que chacun peut accéder à une meilleure connaissance et à une réflexion positive sur sa santé. Tous les grands domaines de la pathologie peuvent être abordés de façon préventive en utilisant des plantes sélectionnées pour leurs effets spécifiques.

La phytothérapie est une méthode de traitement qui utilise exclusivement des plantes, sous différentes formes, mais jamais diluées. On la confond souvent avec l'homéopathie, qui utilise des souches des trois règnes (minéral, végétal et animal), toujours diluées.

L'utilisation des tisanes, décoctions et autres préparations contenant des extraits de plantes est vieille comme le monde. Elle correspond à l'acquisition progressive et empirique, par l'homme, d'une certaine maîtrise de son environnement. Peu à peu, les observations concernant l'utilité d'un bon nombre d'entre elles ont été colligées et consignées dans des manuels pendant que d'autres savoir-faire étaient transmis par la tradition orale.

Depuis un siècle, grâce aux méthodes scientifiques d'investigation, les plantes ont peu à peu livré leurs secrets. Nombre de molécules actives ont été identifiées et leurs actions sur le corps humain expérimentées. Dans presque tous les cas, la supériorité du « totum » (la totalité de la plante ou d'une de ses parties) par rapport à un extrait a été démontrée. C'est dire que le remède agit par la complémentarité de très nombreux constituants.

Cette propriété va à l'encontre de la médecine contemporaine, qui utilise des remèdes très purifiés (dits « allopathiques »), ne contenant qu'une seule molécule active, destinée à intervenir sur une cible unique dans la vie cellulaire.

En phytothérapie, de très nombreux principes actifs agissant sur des mécanismes multiples de la vie cellulaire développent un véritable contrôle synergique. On peut notamment mettre en évidence leurs actions bénéfiques sur le système immunitaire, qui joue un rôle majeur dans le maintien de l'homéostasie (équilibre général de la vie cellulaire). Il est vraisemblable que les phytomicronutriments (*cf.* p. 154-161) fonctionnent de cette façon.

Dans ces conditions, les traitements par les plantes présentent une vertu remarquable : ils n'occasionnent pas ou très peu d'effets secondaires, alors que les remèdes allopathiques en déclenchent toujours. En effet, les plantes rassemblées dans les différentes pharmacopées du monde sont sans risque aux doses indiquées. Pour s'intoxiquer, il faudrait en absorber des quantités considérables ou faire des mélanges incompatibles qui sont toujours clairement indiqués.

Il faut donc se rappeler qu'un traitement de phytothérapie comporte toujours des doses pondérables de principes actifs (à la différence de l'homéopathie) qu'il ne faut pas dépasser.

Comment utiliser les plantes

Les plantes médicinales sont vendues sous de multiples présentations : plantes sèches, extraits de divers types conditionnés de différentes façons (gélules, comprimés, gélules molles, teintures mères, huiles essentielles...).

Les infusions et les décoctions

La façon la plus simple, celle de nos grands-mères, qui n'est pas la moins efficace, consiste à utiliser la plante sèche ou la partie de la plante qui porte l'activité et à extraire soi-même les principes actifs grâce à de l'eau bouillante. Pour cela, il existe deux manières d'opérer, qui ne concernent pas les mêmes plantes et n'aboutissent pas aux mêmes résultats : l'infusion et la décoction.

L'infusion

C'est la tisane classique. On verse de l'eau bouillante sur la plante ou le mélange de plantes, dans un récipient comme pour faire un thé, et on laisse agir pendant 5 à 10 minutes. Le temps est fonction des parties de la plante utilisées : ainsi les feuilles nécessitent un temps d'infusion plus long que les fleurs. On obtient un liquide plus ou moins coloré, plus ou moins odorant et plus ou moins parfumé selon les cas.

Les infusions sont utilisées pour les plantes ou les parties de plantes dont les principes actifs sont faciles à extraire.

La décoction

On plonge les plantes ou les extraits de plantes dans de l'eau bouillante et on laisse bouillir le tout pendant 20 minutes dans une casserole. On peut au préalable hacher menu ou même écraser les morceaux de plantes pour favoriser l'extraction des principes actifs par l'eau. On obtient un liquide plus ou moins coloré, plus ou moins odorant et plus ou moins parfumé selon les plantes.

Les décoctions sont utilisées pour les plantes ou les parties de plantes dont les principes actifs sont difficiles à extraire (écorces, racines, baies, bois, tiges épaisses...).

Ces deux préparations peuvent être absorbées chaudes ou froides durant la journée. Il est recommandé de ne pas dépasser, en moyenne, deux à trois tasses par jour pour un produit. En outre, elles doivent être utilisées dans les 24 heures suivant leur fabrication et conservées au réfrigérateur pendant ce laps de temps.

Présentation, conservation et contrôle

Toutes les plantes mises sur le marché doivent faire l'objet d'un contrôle sanitaire qui certifie leur origine et leur qualité. Cela est valable pour les plantes vendues par correspondance ou sur Internet. Mais, dans ce dernier cas, les ventes en provenance d'un pays étranger échappent presque toujours à tout contrôle. Il faut donc rester très vigilant.

On peut encore trouver des plantes séchées à acheter « en vrac » chez les rares herboristes qui ont toujours pignon sur rue (le diplôme a été supprimé en 1945 !) ou sur les marchés des petites villes, mais là encore le contrôle de l'origine et de la qualité du produit n'est pas facile.

Le plus souvent, les préparations pour tisanes ou décoctions sont vendues sous forme de petits sachets en tissu qui contiennent la dose utile pour une tasse. On en trouve évidemment en pharmacie.

Tous ces produits doivent être placés dans une boîte hermétique et opaque pour les mettre à l'abri de l'humidité et de la lumière et conservés au frais.

Les produits prêts à l'emploi

Ils présentent l'avantage de ne réclamer aucun temps de préparation mais, en contrepartie, ils contiennent une partie non active. Sont décrites ci-dessous les formes les plus fréquemment commercialisées concernant les plantes.

Les comprimés

Cette forme pharmaceutique solide peut contenir un ou plusieurs broyats de plantes sèches. Ils sont obtenus en agglomérant par compression un volume de poudre ou de granulés. Cette fabrication nécessite l'utilisation d'excipients. Ils sont parfois colorés à l'aide de colorants chimiques ou naturels (d'origine végétale). La posologie moyenne est de 2 à 4 comprimés par jour.

Les gélules

Les gélules sont faites généralement de gélatine, protéine extraite des os de bovidés ou de la peau de porc. Suite à la maladie de la vache folle, des gélules d'origine végétale, en cellulose, ont été mises sur le marché, mais leur coût élevé a freiné leur diffusion.

La gélule contient le principe actif et, souvent, un ou des excipients (produits ajoutés pour faciliter l'introduction dans la gélule de la poudre de plante). Elle est la plupart du temps colorée à l'aide de pigments chimiques ou naturels d'origine végétale.

Les sucs digestifs sont capables de désagréger la gélule et donc d'en libérer le contenu dans l'estomac.

La posologie moyenne est de 2 à 4 gélules par jour.

Les teintures mères

Elles sont préparées en faisant macérer les parties de plantes ou une plante entière dans l'alcool à raison d'une partie de plante pour cinq parties d'alcool. Le temps de macération, variable, atteint généralement trois mois. Par filtration, on obtient alors une teinture mère dans laquelle se trouvent rassemblées un grand nombre de molécules extraites de la plante, dont les principes actifs.

La posologie est de quelques gouttes de teinture mère dans un verre d'eau.

L'extrait et l'extrait fluide

L'extrait est obtenu en faisant passer sur la plante réduite en poudre un solvant (eau, alcool, éther) qui en retire une partie des principes actifs (ce procédé est utilisé pour faire le café). Puis on fait évaporer la solution obtenue jusqu'à la concentration désirée.

L'extrait fluide est une variante de l'extrait où l'évaporation de la solution est arrêtée à un faible degré de concentration.

Les huiles essentielles

Elles sont extraites par distillation, par enfleurage (macération) ou par expression. Ces préparations sont des extraits contenant des principes actifs souvent très concentrés. C'est dire que leur action est forte à faibles doses et qu'il faut être particulièrement vigilant lors de leur utilisation.

La règle cardinale est de ne jamais les utiliser pures, que ce soit par voie interne ou externe.

Pour les absorber, il faut obligatoirement les mélanger à un aliment : une cuiller d'huile d'olive, un sucre, un peu de mie de pain, une cuiller à café de miel ou dans une tasse de tisane. La posologie est de 1 à 3 gouttes.

Pour l'usage externe, il faut les ajouter à un peu d'huile d'amande douce ou à tout autre produit qui permet le massage.

Les massages, les frictions et les bains

Le massage

C'est un moyen très ancien de faire pénétrer un principe actif dans le corps. Il doit être pratiqué dans un lieu calme par une personne compétente. Il procure un effet apaisant et relaxant certain.

Les frictions

Ce sont des variantes du massage. Les mouvements sont plus rapides, destinés à stimuler certaines parties du corps.

Le bain

Trop peu utilisé, le bain est un formidable moyen de relaxation après une journée pénible. Il est vrai que beaucoup de logements, pour des raisons d'exiguïté, ne sont équipés que de salles d'eau. C'est très regrettable car même la baignoire-sabot est un plus appréciable. Pour les heureux possesseurs d'une baignoire, il est simple d'ajouter à son bain (avec suffisamment d'eau pour pouvoir immerger le corps) quelques gouttes d'huiles essentielles associées à 2 cuillers à soupe d'huile d'amande douce, sans oublier un peu de bain moussant (pour éviter les glissades). Avant de s'y détendre, il faut veiller à bien agiter l'eau pour répartir le mélange. Une durée de 15 minutes est nécessaire pour laisser le temps aux principes actifs de pénétrer dans la peau à travers les pores dilatés par la chaleur. Attention, il arrive même que l'on s'y endorme si l'ambiance calme de la salle de bain le permet et que l'on se réveille le nez dans l'eau !

Phytothérapie et troubles du sommeil

Plusieurs arguments majeurs plaident en faveur de l'utilisation des plantes pour traiter les troubles du sommeil.

Contrairement aux médicaments chimiques décrits plus haut, ces remèdes ne troublent ni ne désorganisent les différents stades du sommeil.

Ils facilitent l'endormissement en mettant le sujet en état de relaxation et en l'isolant du stress de la journée.

Au matin, ils n'ont pas d'effet résiduel et n'altèrent donc pas la vigilance diurne.

Enfin, ils n'entraînent pas d'accoutumance.

Quelles plantes utiliser ?

Les plantes majeures

Quatre plantes sont considérées comme majeures pour leurs effets sur les insomnies et notamment sur les insomnies chroniques et l'aide au sevrage des hypnotiques : la passiflore, l'escholtzia, la valériane et le houblon.

La passiflore

Il s'agit de *Passiflora incarnata*, plante grimpante de la famille des passifloracées, encore appelée « fleur de la Passion », originaire d'Amérique du Sud mais qui pousse bien en Europe.

Présentation

On utilise les parties aériennes fleuries, séchées, vendues telles quelles dans le commerce. On trouve également des teintures mères au 1/8 à base d'éthanol à 45°, des comprimés ou des capsules affichant divers dosages, qui peuvent aussi être associés à d'autres plantes et à divers micronutriments.

Son utilisation a été expérimentée sur l'animal avec comme résultats une diminution de l'activité motrice et une augmentation de la sensibilité aux hypnotiques.

Elle présente également une activité antispasmodique et exerce sur le cœur un effet comparable à celui de l'aubépine : diminution de la fréquence cardiaque et baisse de la tension artérielle.

L'action de la plante est due aux nombreuses molécules de la famille des flavonoïdes qu'elle contient.

Indications

L'ESCOP (*European scientific cooperative on phytotherapy*), organisme de référence, propose pour cette plante les indications suivantes : tension nerveuse, en particulier en cas de troubles du sommeil ou d'éréthisme cardiaque. On lui attribue, de plus, des propriétés sédatives et anxiolytiques.

Contre-indications

Il est traditionnel de considérer que la grossesse et l'allaitement sont deux contre-indications. Cela est valable pour tout traitement médicamenteux excepté pour l'homéopathie.

Effets secondaires

Il n'y en a pas aux doses préconisées. Cependant, il est recommandé de s'abstenir de conduire ou de manipuler des outils dangereux après la prise de passiflore, à cause des risques de somnolence.

Posologie

On utilise des infusions : 2,5 g à 5 g/tasse (ou 1 sachet), 3 à 4 fois par jour. On peut prendre également de la teinture mère à raison de 10 à 30 gouttes dans un grand verre d'eau, avant les principaux repas. On peut additionner la passiflore à une autre tisane ou à une autre teinture mère, par exemple la camomille, la valériane ou le tilleul.

Attention ! Les principes actifs de la plante peuvent potentialiser ceux d'une autre plante et surtout ceux d'un somnifère chimique.

L'escholtzia, ou pavot jaune de Californie

Il s'agit d'*Escholtzia californica*, plante de la famille des papavéracées. Elle produit des alcaloïdes, qui sont le support de son activité. De nombreux essais cliniques ont permis d'observer d'excellents résultats sur les troubles du sommeil liés à l'anxiété, notamment chez les sujets âgés : le délai d'endormissement se raccourcit et le sommeil est de meilleure qualité avec disparition de l'agitation nocturne.

Présentation

On utilise la plante entière.

Indications

Nervosité et anxiété, insomnie d'endormissement, agitation durant la nuit, cauchemars.

Contre-indications

Il est traditionnel de considérer que la grossesse et l'allaitement sont deux contre-indications à respecter. Cela est valable pour tout traitement médicamenteux excepté pour l'homéopathie.

Effets secondaires

Il n'y en a pas aux doses préconisées. Cependant, il est recommandé de s'abstenir de conduire ou de manipuler des outils dangereux après la prise d'escholtzia à cause des risques de somnolence.

Posologie

Pour les infusions : 1 à 5 g (ou 2 à 4 sachets) par jour mais aussi des extraits secs aqueux au 1/5 à raison de 1 à 4 prises par jour chez l'adulte. Pour la teinture mère, prendre

20 à 50 gouttes avant chaque repas dans un grand verre d'eau.

Cette plante peut être prescrite chez l'enfant chez qui elle donne des résultats en cas d'énurésie.

La valériane

Il s'agit de *Valeriana officinalis*, plante vivace originaire d'Europe et d'Asie, de la famille des valérianacées.

Présentation

On utilise les racines et les rhizomes récoltés à l'automne et séchés.

Indications

L'ESCOP propose les indications suivantes : tension nerveuse, hyperexcitabilité, troubles du sommeil avec agitation, tendance spasmodique, relaxation.

Contre-indications

Il est traditionnel de considérer que la grossesse et l'allaitement sont deux contre-indications à respecter. Cela est valable pour tout traitement médicamenteux excepté pour l'homéopathie.

Dans tous les cas, il ne faut pas dépasser 10 jours de prise sans contrôle médical.

Effets secondaires

Prise à trop forte dose, la valériane peut occasionner des somnolences diurnes. Très rarement, on a pu observer des malaises gastro-intestinaux légers et passagers.

Par ailleurs, il est recommandé de s'abstenir de conduire ou de manipuler des outils dangereux après la prise de la valériane à cause des risques de somnolence.

Posologie

On utilise des décoctions : 1 à 3 g, 1 à 3 fois par jour, mais aussi une teinture mère au 1/5, 30 à 50 gouttes dans un grand verre d'eau jusqu'à 3 fois par jour ou additionnée à une autre tisane calmante (tilleul, camomille, verveine). Il existe également des gélules de valériane à prendre à raison de 2 à 4 par jour.

Cette plante peut être prescrite chez l'enfant en adaptant la dose à la masse corporelle.

Le houblon

Il s'agit de *Humulus lupulus*, plante grimpante de la famille des cannabinacées, dite « dioïque », parce que les fleurs mâles et les fleurs femelles (également nommées strobiles ou cônes) sont portées par des pieds différents.

Le houblon est un tonique amer. Il stimule l'appétit et la sécrétion digestive. Les Grecs et les Romains l'utilisaient pour traiter les problèmes digestifs et les troubles intestinaux.

Incorporé comme ingrédient pour la fabrication de la bière et du pain, sa culture s'est rapidement développée dans toute l'Europe. C'est alors l'observation de la somnolence des travailleurs employés à la récolte des fleurs qui suggéra l'existence d'un principe hypnotique contenu dans celles-ci.

Il est surtout utilisé, de nos jours, pour cette action sédative, hypnotique et spasmolytique.

Présentation

On utilise les fleurs femelles, dont on peut extraire une poudre jaune brunâtre, le lupulin, qui contient plus de 150 principes actifs. Elles sont vendues en vrac ou en sachets pour infusion. On trouve également une teinture mère au 1/5 en éthanol à 60°, un extrait fluide dans l'éthanol à 40° et des gélules.

Indications

Stress, difficultés d'endormissement et réveils nocturnes chez un sujet neurotonique, agité et anxieux.

Contre-indications

Aucune n'est connue. Cependant, il est traditionnel de considérer que la grossesse et l'allaitement sont deux contre-indications à respecter. Cela est valable pour tout traitement médicamenteux excepté pour l'homéopathie.

Effets secondaires

Il n'y en a pas aux doses préconisées. Cependant, il est recommandé de s'abstenir de conduire ou de manipuler des outils dangereux après la prise de houblon à cause des risques de somnolence.

Posologie

Pour les tisanes : 5 g pour 500 ml, 1 à 2 tasses au coucher. Possibilité de mélanger avec une autre tisane calmante (tilleul, camomille, verveine). Les gélules sont à prendre à raison de 2 par jour en fin de journée ou au coucher.

Pour l'extrait fluide : 0,5 à 1ml jusqu'à 3 fois par jour.

Pour la teinture mère : 1 à 2ml jusqu'à trois fois par jour.

Conseils pratiques

Ces quatre plantes majeures présentent des indications assez voisines. Elles peuvent être associées entre elles en les testant à petites doses. En restant dans les limites de la posologie, chaque patient peut rechercher l'association qui lui sera la plus favorable.

Dans tous les cas, il faut suivre le traitement pendant un minimum de 15 jours.

En cas d'insomnie récente, on utilisera une préparation au moins deux fois par jour pendant 2 à 4 semaines.

En cas d'insomnies chroniques, on utilisera une préparation au moins deux fois par jour pendant plusieurs mois.

En cas d'aide au sevrage d'un médicament chimique, il faut commencer à utiliser les plantes en continuant à prendre celui-ci. Puis on en réduira progressivement les doses d'un huitième ou d'un quart, par paliers d'une quinzaine de jours, jusqu'à arrêt total.

Si la dépendance au médicament est très ancienne, il est alors nécessaire de pratiquer des paliers beaucoup plus longs, de 2 mois par exemple.

Les plantes complémentaires

Quatre autres plantes peuvent être utilisées seules ou associées à l'une des quatre précédentes. Leur efficacité variera d'une personne à l'autre, mais elles peuvent être un excellent potentialisateur. Il s'agit de l'aubépine, de la mélisse, du kawa kawa et du millepertuis. Les deux dernières ne sont pas autorisées actuellement en France, mais elles présentent cependant un très grand intérêt, et des pourparlers concernant leur réglementation sont en cours.

L'aubépine

Il s'agit de *Crataegus oxyacantha*, arbuste commun des régions tempérées de l'hémisphère Nord de la famille des rosacées. L'aubépine contient de très nombreux principes actifs, regroupés dans deux familles principales, les flavonoïdes et les procyanides, qui ont des effets antioxydants reconnus. Ils agissent sur le système nerveux central par une action sédative et sur le système sympathique au niveau du cœur en diminuant son excitabilité tout en augmentant ses capacités de contraction et la circulation de l'influx électrique.

Présentation

On utilise essentiellement les fleurs, mais aussi les sommités fleuries et parfois les feuilles et les fruits, chaque partie renfermant des principes actifs différents. Les rameaux fleuris sont récoltés à la fin du printemps et les fruits mûrs (les cenelles, parfois orthographiées *senelles*) au début de l'automne. On les trouve en vrac ou en sachets pour infusions. On peut aussi se procurer un extrait alcoolique provenant de la macération des rameaux fleuris, des fruits ou des deux, des capsules et des comprimés contenant la plante ou un extrait normalisé (2 à 3 % de flavonoïdes ou 18 à 20 % de procyanides).

Indications

Troubles du sommeil avec rêves désagréables mais aussi nervosité avec éréthisme cardiaque (tachycardie émotionnelle) et insuffisance cardiaque congestive.

Contre-indications

Il est traditionnel de considérer que la grossesse et l'allaitement sont deux contre-indications à respecter. Cela est valable pour tout traitement médicamenteux excepté pour l'homéopathie.

Effets secondaires

Aucun.

Posologie

Pour les infusions, 1 à 1,5 g (ou 1 sachet) par tasse en fin d'après-midi et avant le coucher ou 1 à 2 gélules une à deux fois par jour avant les repas, ou encore en teinture mère : 1 à 2 ml dans un grand verre d'eau avant les principaux repas.

La mélisse officinale

Il s'agit de *Melissa officinalis*, plante originaire d'Europe du Nord et des États-Unis mais qui pousse partout dans le monde, de la famille des lamiacées, ou labiées. Les principes actifs de la mélisse aident à la digestion, stimulent le fonctionnement de la vésicule biliaire, ont un effet sédatif et calment la nervosité et l'anxiété.

Présentation

On utilise les parties aériennes, les feuilles, récoltées et séchées durant l'été. On trouve aussi des gélules et une teinture à 1/5 en alcool à 45°.

Connue dans la Grèce antique, la plante est utilisée par la suite dans toutes les traditions et présente dans toutes les pharmacopées.

Au XIIe siècle, dans son célèbre ouvrage sur les plantes qui guérissent, sainte Hildegarde de Bingen rapporte que « l'on est enclin à rire lorsqu'on a mangé de la mélisse car elle réjouit le cœur »[1].

En 1611, les religieux du Carmel de la rue de Vaugirard à Paris ont l'idée de l'inclure dans une mixture composée de quatorze plantes médicinales (mélisse, angélique, muguet, cresson, zeste de citron, marjolaine, coucou, sauge, romarin, lavande, armoise, sarriette, camomille et thym) et de neuf épices (coriandre, cannelle, girofle, muscade, anis vert, fenouil, racine de gentiane, racine d'angélique, bois de santal), le tout dans l'alcool à 80°. C'est la fameuse eau de mélisse.

Cette préparation contient évidemment une quantité impressionnante de principes actifs et a été utilisée comme une sorte de panacée. Elle fut notamment le remède favori

1. Sainte Hildegarde de Bingen, *Liber subtilis medicinae.*

du cardinal de Richelieu. Toujours préparée selon la méthode de l'époque avec les garanties des contrôles modernes, elle peut être utilisée en complément d'une autre plante à raison de quelques gouttes chaque jour sur un sucre.

Indications

Tous les troubles du sommeil accompagnés de spasmes gastro-intestinaux ou liés à une mauvaise digestion.

Contre-indications

Il est traditionnel de considérer que la grossesse et l'allaitement sont deux contre-indications à respecter. Cela est valable pour tout traitement médicamenteux excepté pour l'homéopathie.

Effets secondaires

Aucun.

Posologie

Pour les infusions, 10 g par litre dont on absorbe 250 à 500 ml par jour ou 1 sachet par tasse. Il existe aussi des gélules à prendre à raison de 2 gélules avant les principaux repas. Pour la teinture, 2 à 6 ml dans un grand verre d'eau avant les principaux repas.

Le kawa kawa, ou kawa

Il s'agit de *Piper methysticum*, de la famille des pipéracées.

Cette plante trouve sa place ici du fait de son histoire, bien que son utilisation soit interdite en France depuis 2002.

Depuis des milliers d'années, les indigènes du Pacifique utilisent la racine du kawa kawa pour faire une boisson qui aurait comme propriétés cardinales d'améliorer l'humeur. Ces effets ont été confirmés par les nombreux navigateurs qui ont exploré ces régions et, depuis le XIXe siècle, elle a été utilisée en Europe et surtout en Allemagne pour traiter l'anxiété et l'agitation nerveuse. Récemment, des études scientifiques ont montré, toujours en Allemagne, qu'elle présentait les mêmes effets que les benzodiazépines sans leurs effets secondaires.

Cependant, depuis 1998, quelques cas de toxicité hépatique, dont trois mortels, ont été rapportés et ont conduit à son interdiction dans plusieurs pays d'Europe.

Les travaux continuent cependant car, du fait de son activité anti-oxydante, il semble que l'usage de cette plante aurait également une incidence positive sur le nombre de cancers diagnostiqués dans les îles du Pacifique.

Présentation

On utilise les racines fraîches ou séchées.

Indications

Traiter l'anxiété, notamment celle liée au sevrage des benzodiazépines (médicaments chimiques somnifères), l'agitation et l'instabilité psychomotrice. Combattre l'insomnie.

Contre-indications

Le produit est interdit en France.

Effets secondaires

Toxicité hépatique à forte dose ou chez des sujets sensibles.

Posologie

On utilise des infusions.

Le millepertuis

Il s'agit de l'*Hypericum perforatum*, plante vivace originaire d'Europe, de la famille des hypéricacées. On la trouve dans le monde entier. Le millepertuis contient des flavonoïdes, dont l'hypericine et l'hyperforine, qui lui confèrent des propriétés antibiotiques, antidiarrhéiques et anti-inflammatoires.

Présentation

On utilise les sommités fleuries récoltées et séchées en été.

Indications

Tous les états dépressifs, notamment ceux qui sont accompagnés d'insomnie.

Contre-indications

Le produit ne peut plus être délivré que sur prescription médicale.

Effets secondaires

Son interférence avec certains médicaments, notamment anti-VIH, diminuerait leur efficacité.

Posologie

L'huile essentielle à usage interne relève désormais, en France, de la prescription médicale.

Les plantes secondaires

Même si elles demeurent moins connues, il ne faut pas les négliger car elles sont parfois d'une efficacité surprenante. Nous passerons en revue : l'ail des ours, l'alchémille, l'avoine, la ballote noire, la camomille romaine, le coquelicot, la laitue vireuse, la lavande, le lotier corniculé, le mélilot, l'orange amère, le tilleul et la verveine.

L'ail des ours

Il s'agit d'*Allium ursinum*, plante herbacée de la famille des liliacées, proche de l'ail commun. Connue en Mésopotamie, elle a été décrite ensuite au Japon et en Chine puis introduite en Europe du Nord par la suite.

Présentation

Les feuilles, qui sont récoltées au printemps puis séchées pour leur conservation. On utilise aussi le bulbe.

Indications

L'ail des ours est préconisé pour les insomnies liées à des troubles digestifs. Il a aussi une action sur les troubles digestifs, la diarrhée, les coliques.

Contre-indications

Aucune.

Effets secondaires

Aucun.

Posologie

On peut parsemer les salades ou d'autres plats de feuilles fraîches finement coupées comme on utilise le persil.

En infusion, à raison d'une cuiller à café de feuilles sèches pour une grande tasse d'eau bouillante.

En teinture mère, à raison de 10 gouttes dans un grand verre d'eau.

L'alchémille

Il s'agit d'*Alchemilla vulgaris*, plante herbacée de la famille des rosacées. Elle pousse dans toute l'Europe.

Présentation

On utilise la tige et les feuilles des 30 derniers centimètres de la plante

Indications

Comme l'ail des ours, l'alchémille est utilisée pour les insomnies liées à des troubles digestifs. Elle a également une action sur la sphère gynécologique.

Contre-indications

Ne pas prendre durant la grossesse et l'allaitement.

Effets secondaires

Aucun.

Posologie

En infusion, à raison de 1 cuiller à café de feuilles sèches pour une grande tasse d'eau bouillante.

L'avoine

Il s'agit d'*Avena sativa*, plante de la famille des graminées, ou poacées. Originaire d'Europe du Nord, d'Éthiopie et de Chine, la plante est aujourd'hui cultivée dans les régions tempérées du monde, principalement aux États-Unis, au Canada, en Russie et en Allemagne.

Dans le passé, la plante a surtout servi de nourriture pour les animaux, mais depuis le XVIIe siècle les herboristes la recommandent pour la fatigue, les troubles nerveux, la dépression, l'insomnie, les rhumatismes, la gale et la lèpre. Des extraits sont également utilisés pour les soins de la peau.

Présentation

On utilise les parties aériennes encore vertes puis séchées, directement pour les infusions ou sous forme de comprimés, de capsules ou de teinture alcoolique.

Indications

Elle est indiquée pour traiter l'épuisement, la dépression, l'insomnie et les névralgies ; pour diminuer le risque de maladies coronariennes en abaissant le taux de cholestérol et de glucose sanguins et en diminuant la pression artérielle.

Contre-indications

Aucune.

Effets secondaires

Aucun.

Posologie

On utilise des infusions à raison de 1 à 2 cuillers à café pour un demi-litre d'eau bouillante. Pour les autres formes : 2 à 4 comprimés ou capsules par jour et 1 à 2 ml de teinture pour un grand verre d'eau.

La ballote noire

Il s'agit de *Ballota nigra*, plante herbacée de la famille des lamiacées. Elle pousse dans les régions tempérées et chaudes d'Europe, des États-Unis et d'Asie.

Présentation

On utilise les sommités fleuries cueillies en pleine floraison et séchées pour la conservation.

Indications

Elle est utilisée contre l'anxiété, la tendance aux spasmes, les insomnies légères. Elle est particulièrement efficace durant la ménopause. Par ailleurs, elle augmente la sécrétion de bile et apaise les toux quinteuses.

Contre-indications

Aucune.

Effets secondaires

À fortes doses, elle peut être toxique pour le foie.

Posologie

En infusions, à raison de 1 cuiller à café de feuilles sèches pour une grande tasse d'eau bouillante.

En gélules, à raison de 2 gélules deux fois par jour avant les principaux repas.

En teinture, à raison de 10 gouttes dans un grand verre d'eau.

La camomille romaine

Il s'agit de *Chamaemelum nobile*, autrefois appelée *Anthémis nobilis*, plante vivace de la famille des astéracées. Originaire d'Europe, d'Afrique et d'Asie, elle pousse ou est cultivée dans toutes les zones tempérées de l'Europe, notamment dans les sols riches en silice.

Présentation

On utilise les fleurs recueillies en début de floraison et séchées pour leur conservation.

Indications

Par son action sédative, elle est recommandée pour toutes formes d'insomnie. Elle agit également contre l'inflammation, les troubles digestifs et les spasmes.

Contre-indications

Aucune.

Effets secondaires

Aucun.

Posologie

En infusions, à raison de 1 cuiller à café de fleurs sèches pour une grande tasse d'eau bouillante, une à deux fois par jour.

Sous forme d'huile essentielle, 2 à 4 gouttes sur un sucre.

En teinture mère, à raison de 60 gouttes dans un grand verre d'eau. Celle-ci peut également être mise dans un bain à des fins de relaxation.

Le coquelicot

Il s'agit de *Papaver rhoeas*, plante de la famille des papavéracées. Elle est originaire du bassin méditerranéen et pousse dans les champs et en bordure des routes au mois de mai.

Présentation

On recueille les quatre pétales qui constituent la fleur, et on les fait sécher pour leur conservation.

Indications

Les troubles du sommeil de l'adulte et de l'enfant après 6 ans. L'anxiété et la nervosité. Son action est particulièrement douce.

Contre-indications

Il est déconseillé aux femmes enceintes et allaitantes ainsi qu'aux enfants de moins de 6 ans.

Effets secondaires

Le coquelicot est toxique à fortes doses.

Posologie

En infusions, à raison de 3 ou 4 pétales de fleurs sèches pour une grande tasse d'eau bouillante, une à deux fois par jour.

La laitue vireuse

Il s'agit de *Lactuca virosa*, plante de la famille des astéracées. Dans l'Antiquité, elle était connue des Hébreux et des Romains et Dioscoride la comparaît au pavot somnifère. Elle pousse dans toute l'Europe.

Présentation

On utilise les feuilles, qui contiennent du latex.

Indications

Du fait de son action sédative, la plante est utilisée dans les cas d'insomnies déclenchées par des états de surexcitation. Elle a également un effet expectorant et a la réputation d'être aphrodisiaque. C'est un somnifère doux.

Contre-indications

Aucune.

Effets secondaires

Prise en trop grande quantité, la laitue vireuse peut entraîner des états de somnolence.

Posologie

En infusions, à raison de 2 feuilles sèches pour une grande tasse d'eau bouillante, une à deux fois par jour.

Pour les autres formes, il est préférable de prendre un avis médical.

La lavande

Il s'agit de *Lavandula angustifolia*, de la famille des labiées, ou lamiacées. La plante, originaire des montagnes du bassin méditerranéen, est aujourd'hui cultivée dans le monde entier. Elle préfère les sols secs et rocailleux et un climat très ensoleillé.

Présentation

On utilise les sommités fleuries, que l'on peut acheter en vrac. On trouve également une huile essentielle et une teinture au quart en alcool.

Indications

Traiter l'agitation, l'anxiété, la nervosité, les insomnies et les maladies digestives liées à la nervosité.

Contre-indications

Aucune.

Effets secondaires

Aucun.

Posologie

En infusions : 1 à 2 cuillers à café dans une grande tasse d'eau bouillante, 1 à 3 tasses par jour, dont une au coucher.

En huile essentielle : 1 à 4 gouttes sur un sucre ou mélangées à 1 cuiller de miel, une à trois fois par jour dont une au coucher.

En teinture : 20 à 40 gouttes, une à trois fois par jour, dont une au coucher.

En gélules : 2 à 4 gélules par jour.

Le lotier corniculé

Il s'agit de *Lotus corniculatus*, plante herbacée de la famille des fabiacées. Elle pousse dans les prairies d'Europe, où elle sert de plante fourragère.

Présentation

On utilise les fleurs récoltées au début de l'été et séchées pour conservation.

Indications

Par son action sédative, elle agit sur la nervosité, la dépression, les spasmes, les troubles du sommeil.

Contre-indications

Aucune.

Effets secondaires

Aucun.

Posologie

En infusions : 1 cuiller à café de la plante entière séchée pour une grande tasse d'eau bouillante, une à deux fois par jour.

En teinture mère : 20 à 30 gouttes, une à trois fois par jour, dont une au coucher, ajoutées à une tisane d'une autre plante (tilleul, camomille).

Le mélilot

Il s'agit de *Melilotus officinalis*, plante de la famille des fabiacées (légumineuses). Elle pousse dans toutes les régions tempérées d'Europe.

Présentation

On utilise les sommités fleuries récoltées entre avril et octobre.

Indications

Il a des effets antispasmodiques, sédatifs et diurétiques. De plus, par son action sur la perméabilité des vaisseaux sanguins, il favorise l'irrigation cérébrale, améliore le retour veineux et la circulation lymphatique et prévient les thromboses. Il trouve sa meilleure indication dans les insomnies des personnes atteintes de troubles circulatoires.

Contre-indications

Ne pas utiliser chez les personnes sous traitement anticoagulant.

Effets secondaires

Le mélilot contient de la coumarine, qui peut induire des troubles de la coagulation sanguine, surtout s'il interfère avec d'autres anticoagulants déjà prescrits.

Posologie

On utilise des infusions à raison de 1 cuiller à café de fleurs par tasse, 2 tasses par jour, éventuellement en association.

L'orange amère

Il s'agit de *Citrus aurantium*, petit arbre du sud de l'Europe (région méditerranéenne) de 4 à 5 mètres de haut, originaire de Chine et d'Inde, rapporté d'Orient par les croisés.

Présentation

On utilise les fleurs séchées et le zeste. Deux principes actifs ont été identifiés : la naringine et la naringinine.

Indications

Les troubles légers du sommeil.

Contre-indications

Aucune.

Effets secondaires

Aucun.

Posologie

On utilise des infusions à raison de 1 cuiller à café de fleurs par tasse, 2 tasses par jour, et l'huile essentielle à raison de 1 goutte sur un sucre avant le repas du soir.

Le tilleul

Il s'agit de *Tilia americana*, arbre à croissance rapide de la famille des malvacées, autrefois classé dans les tiliacées.

Présentation

On utilise les fleurs séchées pour la conservation.

Indications

Action sédative, antispasmodique, légèrement hypnotique. Effet calmant sur la nervosité. Tous les troubles du sommeil, surtout d'origine névrotique chez l'adulte. Peut s'utiliser chez l'enfant en bas âge.

Contre-indications

Aucune.

Effets secondaires

Aucun.

Posologie

En infusions à raison de 1 cuiller à café de fleurs par tasse, 2 à 3 tasses par jour. On peut également prendre des bains décontractants aux fleurs de tilleul.

La verveine

Il s'agit de *Verbena officinalis*, plante de la famille des verbénacées. Elle pousse partout en Europe, au Japon et en Chine. Elle contient de nombreux principes actifs et il ne faut pas la confondre avec la verveine odorante, ou verveine citronnelle, beaucoup moins active mais beaucoup plus parfumée, souvent vendue à sa place.

Présentation

On utilise les feuilles et les sommités fleuries cueillies en été et séchées pour conservation.

Indications

Elle calme la nervosité, combat les vertiges et les migraines, stimule l'estomac et aide les digestions difficiles, soulage les articulations douloureuses. En usage externe, elle agit sur les traumatismes, les ecchymoses et les foulures.

Contre-indications

Elle est déconseillée aux femmes enceintes et allaitantes.

Effets secondaires

À fortes doses, elle peut engendrer des nausées et des vomissements.

Posologie

En infusions : 1 cuiller à café de la plante séchée pour une grande tasse d'eau bouillante, trois fois par jour.

En gélules (poudre de la plante totale) : 3 gélules par jour avant les principaux repas.

En teinture mère : 15 à 20 gouttes, une à trois fois par jour, dont une au coucher, ajoutées à un grand verre d'eau ou à une tisane d'une autre plante (tilleul, camomille).

L'automédication en phytothérapie

Le faible nombre de contre-indications concernant les remèdes phytothérapiques rend l'automédication possible et facile. Cependant, si les symptômes de l'insomnie persistent, il faut avoir recours à votre médecin habituel.

Les spécialités en phytothérapie

De nombreux laboratoires commercialisent des préparations prêtes à l'emploi sous différentes formes galéniques (capsules, gélules, sachets pour infusion, comprimés), disponibles en pharmacie.

On trouve sous la marque **Arkogélules** des gélules contenant respectivement : du mélilot, de l'aubépine, de la ballote, du coquelicot, de l'escholtzia, du houblon, de la lavande, de la mélisse, de la passiflore et de la valériane.

Trois spécialités **Boiron** : Boiron aubépine, Boiron passiflore, Boiron valériane.

Quatre spécialités **Elusanes** : Elusanes aubépine, Elusanes escholtzia, Elusanes valériane, Elusanes Natudor (aubépine et passiflore).

Une spécialité **Cardiocalm** (aubépine).

Une spécialité **Dystolise** (mélisse, coquelicot, lavande, angélique, marjolaine).

Une spécialité **Euphytose** (passiflore, aubépine, valériane, ballote).

Une spécialité **Lénicalm** (aspérule, aubépine, tilleul).

Une spécialité **Neuroflorine** (aubépine, passiflore, valériane).

Une spécialité **Neuropax** (aubépine, passiflore).

Une spécialité **Nocvalène** (aubépine, coquelicot, passiflore).

Une spécialité **Panxéol** (escholtzia, passiflore).

Une spécialité **Passiflorine** (aubépine, passiflore).

Une spécialité **Passinévryl** (aubépine, passiflore, valériane).

Une spécialité **Sedalozia** (aubépine, escholtzia, valériane).

Une spécialité **Sedopal** (mélilot, escholtzia, aubépine).

Une spécialité **Spasmine** (aubépine, valériane).

Une spécialité **Spasmosédine** (aubépine).

Une spécialité **Sympaneurol** (aubépine, passiflore, valériane).

Une spécialité **Sympatyl** (aubépine, escholtzia, magnésium).

Une spécialité **Sympavagol** (aubépine, passiflore).

Une spécialité **Tranquital** (aubépine, valériane).

La nutrithérapie

La nutrithérapie est une technique qui utilise à des fins préventives ou thérapeutiques les micronutriments, dont la plupart sont présents en permanence dans nos cellules, où ils jouent le rôle de catalyseurs de réactions chimiques ou d'antioxydants.

Le but de la nutrithérapie est de rétablir, d'orienter ou de potentialiser les grandes réactions du métabolisme cellulaire.

Cela mérite une explication dont on ne peut faire l'économie si l'on veut justifier une nutrithérapie des insomnies. Les développements qui suivent sont donc volontairement assez longs pour bien mettre en valeur son importance.

Enfin, la nutrithérapie est le domaine privilégié de l'automédication car elle est sans risque, sans effets secondaires et facile à mettre en œuvre.

Les micronutriments

Outre les trois groupes de nutriments (glucides, lipides, protéines) connus depuis longtemps, l'alimentation apporte également en petites quantités des éléments qui ne sont ni directement énergétiques ni constitutifs des organes.

Il s'agit des minéraux, des oligoéléments, des vitamines et des phytomicronutriments qui participent aux millions de réactions biochimiques se déroulant chaque seconde dans toutes les cellules du corps, notamment en tant que catalyseurs ou comme antioxydants piégeurs de radicaux libres.

Comme catalyseurs, ils permettent que les réactions très complexes du métabolisme cellulaire aient lieu à la température ordinaire du corps (37 °C).

Comme antioxydants, ils servent de régulateurs à l'activité des radicaux libres et protègent ainsi toutes les membranes cellulaires de leurs attaques et du vieillissement.

Du fait de leurs très faibles quantités dans l'organisme, ils sont difficilement repérables. Cependant, ils focalisent aujourd'hui l'attention de nombreux laboratoires de recherche.

Les minéraux et les oligoéléments

Pour bien comprendre ce que sont les minéraux et les oligo-éléments, un bref rappel sur la composition élémentaire de la matière vivante, encore appelée matière organique, s'impose. Celle-ci est constituée d'éléments (ou atomes) semblabes à ceux qui forment le monde minéral. Ces atomes constitutifs du monde, le corps humain ne sait pas les fabriquer. Il les reçoit de l'extérieur durant la vie, et les restitue à son environnement après la mort. Ce constat illustre bien ce grand principe aujourd'hui validé par la physique et la biologie mais déjà bien perçu par les philosophes de la Grèce antique : « Rien ne se perd, rien ne se crée, tout se transforme. »

Minéraux et oligoéléments ne sont donc pas biodégradables.

Si l'on compare les cristaux et les molécules du monde minéral et du monde vivant, on constate que seules les proportions et les agencements des éléments diffèrent. Ainsi, seulement onze éléments représentent 99,5 % de la masse de la matière vivante, tout au moins chez l'homme, les mammifères, les oiseaux, les poissons et les végétaux supérieurs. Il s'agit d'une part de l'oxygène, du carbone, de l'hydrogène et de l'azote, qui à eux seuls en totalisent 96,6 %, et d'autre part du calcium, du phosphore, du sodium, du potassium, du chlore, du soufre et du magnésium, qui ne participent que pour 3,39 %.

Tous les autres éléments, appelés éléments traces ou oligoéléments, ne pèsent que 0,01 % du poids total du corps.

Les quatre éléments majeurs (oxygène, hydrogène, carbone et azote) sont apportés par nos aliments (sucres, lipides et protéines) et, pour l'oxygène, en partie par l'air que nous respirons. Ils sont les briques de base qui constituent la structure de toutes les molécules de nos tissus, donc de nos organes. L'oxygène, en outre, est indispensable aux réactions d'oxydation dont nous tirons notre énergie.

Les minéraux

Souvent appelés macroéléments du fait de leur relative importance pondérale par rapport aux oligoéléments, les minéraux répertoriés dans le corps sont le calcium, le phosphore, le sodium, le potassium, le chlore, le soufre et le magnésium. Ils sont apportés par les aliments en quantités variables et jouent des rôles structuraux mais aussi métaboliques. Ainsi le calcium est à la fois le constituant majeur de nos os et un acteur fondamental de la vie cellulaire puisqu'il transmet les messages venus de l'extérieur. Le magnésium, également constituant de l'os, participe de façon très active au stockage et à l'utilisation de l'énergie. Le sodium, le potassium et le chlore sont les gardiens de l'équilibre électrolytique de nos tissus et maintiennent donc la structure de nos cellules. Le phosphore entre dans la composition des acides nucléiques (ADN et ARN), supports de notre hérédité, mais il est également indispensable à la synthèse de molécules d'adénosine triphosphate (ATP), qui constituent notre réservoir d'énergie immédiatement disponible. Le soufre entre dans la composition de certains acides aminés qui confèrent des propriétés métaboliques particulières aux protéines.

Les oligoéléments

Les oligoéléments constituent les autres éléments d'origine alimentaire. Malgré leur faible représentation (0,01 % du poids du corps), ils ont un rôle majeur, parfois indispensable, dans la maintenance de la vie.

Ceux qui sont considérés comme essentiels jouent un rôle de cocatalyseur dans des réactions biochimiques identifiées. Cela veut dire qu'ils collaborent au bon fonctionnement des enzymes qui assurent ces réactions.

La nécessité, pour tous les êtres vivants, de la catalyse enzymatique, est prouvée. Elle permet aux réactions extrêmement complexes qui se déroulent à chaque microseconde dans chacune de nos cellules de se produire rapidement à la température basse de 37 °C.

Cette catalyse requiert des molécules protéiques spécifiques appelées « enzymes », qui sont des outils capables de mettre en relation de façon très proche deux espèces moléculaires pour qu'elles réagissent l'une sur l'autre.

Les oligoéléments (et certaines vitamines) viennent se positionner sur l'enzyme afin qu'elle prenne la bonne conformation pour accomplir sa tâche. Ils agissent donc bien comme une aide indispensable, donc comme « coenzyme » (« co » dans le sens de « avec »).

Les enzymes comme les coenzymes ne sont pas « consommées » dans les réactions biochimiques, ce qui veut dire qu'elles ne sont pas transformées et sont donc réutilisables pour une autre réaction identique. Cela explique la très faible quantité des oligoéléments présente dans le corps, qui, cependant, joue un rôle de clé de voûte dans l'immense édifice de la vie.

On distingue deux groupes : les oligoéléments essentiels et les autres.

Les oligoéléments essentiels sont le fer, le cuivre, le manganèse, le sélénium, le zinc, l'iode, le cobalt, dont les rôles dans le métabolisme cellulaire sont identifiés avec certitude.

Les autres oligoéléments sont d'abord ceux dont le mode d'action exact n'est pas encore élucidé mais qui sont cependant reconnus comme utiles aux différents métabolismes. Il s'agit du chrome, de l'étain, du fluor, du nickel, du silicium, du vanadium.

Quant aux autres éléments présents chez les êtres vivants, leur rôle reste inconnu, mais il est peu probable qu'ils soient là par hasard, comme si les organismes humains ou animaux n'étaient que des récipients où s'entasserait, pêle-mêle, une gamme hétéroclite de produits. Il est plutôt vraisemblable que bien des découvertes surprenantes nous attendent encore, dans ce domaine d'accès si difficile, du fait des très petites quantités en jeu.

Les oligoéléments passent la barrière intestinale avec les nutriments issus de la digestion et se retrouvent dans le sang circulant, où ils sont pris en charge par des protéines spécialisées dans le transport. L'entrée et la sortie de chacun d'eux font l'objet d'un contrôle qui assure le maintien de concentrations stables dans les différents tissus et organes. Leur répartition dans chaque cellule et sur chaque système enzymatique, selon les besoins, au bon moment, reste une énigme de la biologie.

Cependant, on sait que les oligoéléments participent à tous les métabolismes de la cellule. Ainsi on a pu identifier le manganèse comme coenzyme dans plus de deux cents réactions différentes.

Les vitamines

Les vitamines sont des molécules organiques sans valeur énergétique, indispensables en très faibles quantités, à l'instar des oligoéléments, au bon fonctionnement des réactions biochimiques du métabolisme cellulaire. Comme ces derniers, elles fonctionnent comme cocatalyseurs enzymatiques. Selon leur affinité pour les graisses ou pour l'eau, on les répartit en deux groupes.

Les vitamines liposolubles

Ce sont la vitamine A, la vitamine E, la vitamine D et la vitamine K.

Le métabolisme de ces vitamines est comparable à celui des lipides. Elles circulent dans le sang, liées à des protéines.

Les vitamines hydrosolubles

Elles sont solubles dans tous les compartiments aqueux de l'organisme. Ce sont la vitamine B1 ou thiamine, la vitamine B2 ou riboflavine, la vitamine B3 ou niacine ou vitamine PP, la vitamine B5 ou acide panthothénique, la vitamine B6 ou pyridoxine, la vitamine B8 ou biotine ou vitamine H ou coenzyme R, la vitamine B9 ou acide folique, la vitamine B12 ou cobalamine, la vitamine C ou acide ascorbique.

Le rôle des vitamines

Toutes les vitamines sont impliquées à tous les niveaux des métabolismes de toutes les cellules de l'organisme. Contrairement aux oligoéléments, elles sont biodégradables et doivent, en permanence, soit être apportées de l'extérieur par l'alimentation, soit être synthétisées par les cellules de l'organisme.

Les phytomicronutriments

Comme leur nom l'indique, ils sont présents dans les produits végétaux, fruits, légumes et plantes sauvages. Découverts récemment, ils sont encore mal connus, mais leur implication probable dans des mécanismes de protection vis-à-vis des cancers stimule fortement la recherche.

Ils appartiennent à un ensemble hétérogène de molécules assez complexes dans lequel on distingue les polyphénols, les caroténoïdes, les glucosinolates, les composés soufrés et les phytostérols.

Les polyphénols

Très impliqués, du fait de leurs propriétés anti-oxydantes, dans la prévention des cancers, des affections cardio-vasculaires, de l'ostéoporose et des maladies inflammatoires, ils sont très abondants dans les aliments. Tous les végétaux, légumes, fruits, racines et les liquides dérivés comme le vin, le thé, le café en sont abondamment pourvus.

Un être humain en consomme environ 1 g par jour, soit dix fois plus que de vitamine C et cent fois plus que de vitamine E ou de caroténoïdes.

La diversité de structures et leur répartition très hétérogènes dans les aliments font des polyphénols des produits très difficiles à repérer et à quantifier.

Les caroténoïdes

Ce sont, avec les chlorophylles et les anthocyanines, les pigments les plus répandus dans la nature. Seuls les plantes, certaines bactéries et certains champignons sont capables de les synthétiser.

On peut les repérer dans tous les organes des végétaux : feuilles (épinard, salade, chou, persil), racines ou tubercules (carotte, patate douce), graines (maïs), fruits (tomate, pastèque, melon, poivron, abricot, mangue, goyave).

Plus de six cents molécules différentes de caroténoïdes ont déjà été identifiées, mais seule une quarantaine est retrouvée régulièrement dans l'alimentation humaine. Selon les estimations actuelles, la consommation de caroténoïdes est de 3 à 4 mg/jour en France.

Une grande partie de ces molécules sont des précurseurs potentiels de la vitamine A, qui joue un rôle majeur en tant qu'antioxydant. Les caroténoïdes font donc partie des micronutriments qui participent aux défenses de l'organisme contre les radicaux libres. Ils ont également la capacité de rétablir les communications intercellulaires en stimulant la synthèse de protéines spécifiques comme les connexines.

Au niveau clinique, de nombreuses enquêtes épidémiologiques leur attribuent un rôle positif dans la protection vis-à-vis de certains cancers, des maladies cardio-vasculaires et de certaines maladies oculaires (cataracte et dégénérescence maculaire liée à l'âge).

Les glucosinolates

Ces molécules, particulièrement abondantes dans les crucifères (chou, chou de Bruxelles, navet, brocoli, radis, moutarde), sont rapidement transformées, par la préparation culinaire ou la mastication, en isothiocyanate et autres produits qui auraient une action déterminante pour empêcher la cancérisation des cellules, notamment au niveau du côlon.

Les composés soufrés

L'ail, les oignons, les poireaux et les échalotes, de la famille des alliacées, contiennent une large gamme de composés soufrés, qui sont transformés en de nombreux produits lors de la dégradation des tissus végétaux. Dans l'ail, le produit le mieux connu est l'allicine, dont les dérivés ont une action antibactérienne bien identifiée contre *Helicobacter pylori*, bactérie responsable de l'ulcère d'estomac. On leur attribue aussi un effet protecteur vis-à-vis du cancer de l'estomac.

Les phytostérols

Ils sont présents dans les fruits et les légumes mais aussi dans les céréales complètes et les huiles végétales. La ration alimentaire habituelle en contient entre 150 et 450 mg. Leur absorption intestinale est faible, de l'ordre de 1 à 10 % de ce qui est ingéré, mais leur présence abaisse la cholestérolémie en inhibant l'absorption du cholestérol alimentaire.

Des margarines enrichies en phytostérols ont été commercialisées en Finlande et en France avec l'allégation d'effet hypocholestérolémiant.

Nutrithérapie et prévention

On doit au Dr Ménétrier l'intuition géniale d'avoir proposé, dès 1946, l'utilisation des oligoéléments pour traiter de nombreuses affections dites « fonctionnelles », à une époque où l'on ne connaissait encore que très peu de chose sur leurs mécanismes d'action.

Au même moment, Jacques Monod, qui allait trente ans plus tard recevoir le prix Nobel de médecine et de physiologie, soutenait une thèse révolutionnaire sur un mécanisme enzymatique (le phénomène de diauxie), attirant ainsi l'attention sur l'importance de la recherche sur les enzymes pour comprendre les mécanismes de la vie.

Considérant que des perturbations de la catalyse enzymatique pouvaient être en cause dans de nombreuses maladies, avant que les organes ne soient durablement altérés (d'où le terme de « fonctionnelles »), le Dr Ménétrier imagina de mettre en œuvre de petites quantités de manganèse, de cuivre, de zinc, de cobalt, d'or et d'argent pour relancer des métabolismes déficients. Bien que les bases fondamentales d'une telle démarche fussent loin d'être claires du fait des énormes zones d'ombre qui entouraient la notion même d'« oligoéléments catalytiques », l'application en thérapeutique s'avéra efficace et les résultats cliniques confirmèrent l'idée novatrice.

Pendant plus de trente ans, des centaines de milliers de personnes se soignèrent en automédication ou sous le contrôle de médecins, avec succès, à l'aide de quelques gouttes de ces préparations simples et d'une parfaite innocuité aussi bien pour prévenir que pour traiter les affections ORL (rhinites, rhinopharyngites, otites, angines), les **insomnies**, les allergies, les affections rhumatismales, les encrassements vasculaires, les dépressions.

Aujourd'hui, les progrès très rapides des connaissances concernant les mécanismes de fonctionnement des micronutriments permettent d'envisager ces produits comme des composants essentiels de la médecine préventive de demain. Mais il faut insister sur le fait que leur apport doit d'abord être nutritionnel.

Ainsi la règle d'or qui préconise au moins cinq portions de légumes et fruits chaque jour pour être en bonne santé est justifiée par la présence des micronutriments et phytomicronutriments décrits précédemment.

Nutrithérapie et troubles du sommeil

Il faut distinguer les micronutriments de terrain et ceux qui sont plus spécifiques des problèmes de sommeil.

Le terrain

Il s'agit de s'occuper du corps dans sa relation avec la nourriture pour que les métabolismes fonctionnent au mieux de leurs possibilités et donc que la vie soit harmonieuse. Le sommeil, qui est une fonction physiologique, s'en trouvera forcément amélioré.

La nutrithérapie trouve sa meilleure application dans cette harmonisation de toutes nos fonctions au cours de la vie et assure en même temps la meilleure « prévention » possible du vieillissement. Bien que celui-ci soit inéluctable, car probablement génétiquement programmé, des prises régulières de micronutriments sont indiquées pour avancer sans heurts vers un grand âge en conservant de bonnes capacités physiques et psychiques.

Sans tomber dans les excès américains qui préconisent des prises quotidiennes de doses énormes de dizaines de produits souvent d'origine chimique, il est raisonnable de proposer des cures alternées de trois ou quatre micronutriments quotidiens à partir de l'âge de 50 ans.

Les produits les plus intéressants sont ceux qui ont une action anti-oxydante (vitamines C, A, E et les oligoéléments sélénium, fer, manganèse, cuivre, zinc) ainsi que le magnésium pour son action sur le fonctionnement musculaire, et enfin le calcium, qui joue un rôle fondamental de messager intracellulaire.

La pratique

Dans la pratique, on peut organiser des cures de trois mélanges, alternées chaque mois :

– vitamine C (sous forme d'acérola) + sélénium + manganèse + magnésium le premier mois ;

– vitamine A (sous forme de bêtacarotène) + fer + manganèse + calcium le deuxième mois ;

– vitamine E (sous forme de germe de blé) + cuivre + zinc le troisième mois ;

Le quatrième mois est un mois de repos. Puis recommence un cycle de trois mois.

Au bout d'un an, il est judicieux de changer les associations de produits et éventuellement d'ajouter d'autres produits plus spécifiques des troubles qui peuvent se manifester.

Les quantités

Les quantités proposées ci-dessous tiennent compte des apports de l'alimentation. Les doses indiquées correspondent à celle des compléments alimentaires trouvés dans le commerce.

La **vitamine C** peut être prise sous forme d'acérola (une petite cerise sauvage d'Amérique du Sud, très riche en celle-ci) à raison de 2 comprimés ou gélules de 500 mg. Cette prise correspond à 170 mg de vitamine C pure, ce qui couvre largement les besoins quotidiens. La vitamine C n'est jamais toxique, mais au-delà de ces doses le surplus est éliminé par voie rénale dans les urines. Il faut enfin noter que le taux de vitamine C dans l'acérola ne peut pas dépasser 17 %. Lorsque la concentration annoncée dépasse ce chiffre, cela signifie qu'il y a eu ajout de vitamine C synthétique.

La **vitamine E** doit être prise sous forme de germe de blé, dont les huiles en contiennent 175 mg pour 100 g. Deux cuillers à soupe en apportent 20 mg. Il en existe d'autres présentations : gélules, comprimés ou capsules molles. La dose maximale autorisée est de 40 mg par jour. Il est raisonnable d'en prendre 10 à 20 mg.

La **vitamine A** est un médicament dont les risques, en cas de surdosage, sont importants. Elle ne peut donc pas être prise telle quelle mais seulement sous la forme de ses précurseurs, les bêta-carotènes, qui ne présentent aucun danger. Ceux-ci sont conseillés à raison de 2 mg par jour sous n'importe quelle présentation.

Le **sélénium** peut être apporté à des doses n'excédant pas 50 µg (microgrammes) par jour, par exemple sous forme de « levure au sélénium », qui apporte de la sélénométhionine très assimilable. On trouve des gélules de cette spécialité dans les magasins de diététique et dans les pharmacies. Cependant, il faut noter que les noix du Brésil apportent de très grosses quantités de cet oligoélément : une seule noix peut en contenir jusqu'à 60 µg. De même, un rognon de veau peut en contenir 40 µg.

Le **manganèse** peut être apporté à raison de 2 à 3 mg par jour sous forme de comprimés ou de gélules qui contiennent du gluconate de manganèse. Il est particulièrement peu toxique et il n'y a aucun risque de surdosage.

Le **cuivre** peut être apporté à la dose de 1 à 2 mg par jour sous forme de comprimés ou de gélules qui contiennent du gluconate de cuivre.

Le **fer** n'est bien assimilé que s'il est ingéré sous forme de fer héminique, c'est-à-dire lié à l'hémoglobine contenue dans les globules rouges. Sur le plan alimentaire, une supplémentation physiologique en fer passe donc de préférence par l'absorption d'aliments riches en sang comme la viande rouge ou le boudin, ce qui peut poser un problème diététique.

Le **zinc** peut être apporté à hauteur de 5 à 10 mg par jour sous forme de comprimés ou de gélules qui contiennent du gluconate de zinc.

Le **magnésium** peut être pris à raison de 200 mg par jour sous forme de citrate de magnésium, sel le mieux absorbé par l'intestin. On peut aussi prendre des comprimés de lithothamne, algue pétrifiée extrêmement riche en cet élément : 2 à 4 par jour.

Le **calcium** peut être pris à raison de 500 mg par jour sous forme de carbonate ou de citrate de magnésium, sels les mieux absorbés par l'intestin. On peut aussi prendre des comprimés de lithothamne, algue pétrifiée extrêmement riche en cet élément qui apportera, en même temps, le magnésium : 2 à 4 par jour.

Les micronutriments plus spécifiques

Dans toutes les formes d'insomnies, on peut utiliser quelques micronutriments reconnus comme intervenant dans les mécanismes de fonctionnement des neurones : lithium, magnésium, calcium et micronutriments antiradicalaires déjà cités.

Concernant le magnésium et le calcium, il faut citer, parmi les meilleures sources, outre les produits décrits ci-dessus, les eaux minérales, qui en apportent des quantités variables, assimilables et parfois très importantes (jusqu'à plus de 500 mg par litre). Il suffit de lire les indications de l'étiquette et d'alterner les eaux.

Concernant le lithium, il peut s'acheter sans ordonnance sous différentes formes et différentes marques, en pharmacie :

granions de lithium, microsol lithium, oligosol lithium, oligostim lithium, oligogranul lithium, oligo-essentiels lithium, suboligo lithium. Leur efficacité est équivalente.

La mésothérapie

Inventée par le Dr Michel Pistor en 1952, elle est basée sur l'administration répétée, à doses faibles, de médicaments allopathiques ou homéopathiques sous la peau dans les régions du corps où les troubles sont ressentis.

L'injection peut se faire sur des points d'acuponcture ou dans des zones voisines. Facile à pratiquer et sans danger, cette technique obtient de bons résultats sur les contractures physiques, les tensions musculaires qui accompagnent souvent les insomnies. Elle nécessite l'intervention d'un médecin.

Les traitements non médicamenteux

L'acuponcture et les médecines énergétiques

Par simplification abusive, en Occident on appelle acuponcture une pratique qui comporte en réalité toujours deux techniques associées de façon complémentaire, la piqûre d'une part et le chauffage de certains points du corps d'autre part. On devrait donc plutôt parler de « médecine chinoise ».

L'acuponcture est donc une technique de soins qui utilise, d'une part de fines aiguilles de métal (généralement de l'acier) pour piquer certains points particuliers de la peau et, d'autre part, des cigarettes d'armoise (une plante très commune) à l'extrémité incandescente pour chauffer ces mêmes points. Cette dernière méthode est appelée cautérisation.

Les aiguilles sont laissées en place entre 15 et 60 minutes. Lors des cautérisations, le chauffage des points est arrêté quand une légère sensation de brûlure se fait sentir.

Parfois, les aiguilles sont stimulées manuellement en les tournant dans la peau ou à l'aide d'un faible courant électrique.

Transmise par la tradition chinoise qui l'a créée, étudiée et améliorée depuis des millénaires, l'acuponcture est beaucoup plus qu'une simple technique médicale parmi d'autres. Elle est l'expression d'une certaine représentation du monde, de l'univers et de notre place dans celui-ci. En Extrême-Orient, elle n'est jamais une pratique isolée. Bien au contraire, elle s'inscrit dans un ensemble constituant la médecine chinoise traditionnelle, qui comporte cinq niveaux :

- niveau 1 : l'énergie primordiale ;
- niveau 2 : la diététique et l'hygiène ;
- niveau 3 : les médicaments ;
- niveau 4 : l'acuponcture et les cautérisations ;
- niveau 5 : la chirurgie.

Dans la conception orientale, la qualité de ces techniques va en décroissant du niveau 1 au niveau 5.

La médecine chinoise prétend intervenir sur l'énergie.

Ce concept est assez complexe à cerner si on se place sur le plan de la science occidentale et en même temps très familier si l'on se réfère à notre expérience quotidienne (nous sentons bien quand nous manquons d'énergie ou quand nous en débordons). Dans ce système, toutes les pathologies se classent en deux grands groupes : celles qui correspondent à un excès d'énergie et celles qui correspondent à un manque.

L'énergie circule dans notre corps en permanence en suivant des voies naturelles, repérables selon les événements de notre vie et l'état de notre environnement.

Le but de l'utilisation des aiguilles et des cautérisations est donc de mobiliser cette énergie pour établir un état d'équilibre harmonieux entre les flux et les reflux dans les différentes parties du corps, en libérant les zones engorgées et en alimentant les zones déficientes.

La meilleure comparaison que l'on puisse proposer, pour faire comprendre cette pratique, est celle d'un réseau hydrologique. L'eau étant assimilée à l'énergie, tout se passe comme si notre corps était parcouru dans toutes ses dimensions par un système très complexe et très élaboré de fleuves et de canaux dont le rôle serait de conduire cette énergie à chacune de nos cellules. Il existerait sur toutes ces voies fluides de nombreuses « écluses » ou vannes de débit qui permettraient de réguler les flux de circulation. Les points d'acuponcture et de cautérisation représenteraient les accès à ces organes de contrôle.

Contrairement à la médecine occidentale, toute la médecine chinoise est d'abord une médecine préventive. Cette notion est tellement forte en Asie que la tradition antique exigeait des médecins chinois qu'ils maintiennent leurs patients en bonne santé, ceux-ci cessant de les payer dès qu'ils tombaient malades. Certains praticiens de personnages célèbres ont même payé de leur vie de n'avoir pas réussi dans cette entreprise parfois assez hasardeuse, surtout si le client ne respectait pas les conseils et médications proposés !

Pour avoir pratiqué cette médecine pendant vingt-cinq ans, je suis convaincu qu'elle doit être enseignée dans les facultés et pratiquée au quotidien dans tous les cabinets médicaux aussi bien dans des applications préventives que curatives. Elle permettrait une remarquable économie de médicaments et éviterait souvent l'apparition de maladies graves.

Les médecins pratiquant l'acuponcture sont de plus en plus nombreux en France. Ils sont très bien formés et compétents. Il est donc moins difficile que jadis de faire appel à eux pour rester en bonne santé.

Enfin, au début de l'année 2007, l'acuponcture a vu son statut reconnu par les instances médicales officielles françaises puisqu'un diplôme d'État va être institué en collaboration avec des facultés de médecine chinoises.

Les applications aux troubles du sommeil

Les insomnies et autres troubles du sommeil étaient parfaitement connus en Chine il y a plus de trois mille ans et les traitements mis au point depuis cette époque sont efficaces.

Cette pratique ne peut entrer dans le cadre de l'automédication, mais les médecins acuponcteurs sont habilités à traiter les insomnies de tous les types. En outre, elle présente l'avantage de faire l'économie de toute médication agressive de type chimique. L'association avec l'homéopathie, la phytothérapie et la nutrithérapie permet souvent d'obtenir d'excellents résultats qui durent.

LA PHOTOTHÉRAPIE, OU LUMINOTHÉRAPIE

Mise au point récemment aux États-Unis, la photothérapie, également appelée luminothérapie ou luxthérapie, est un moyen efficace de lutter contre le trouble affectif saisonnier (TAS) qui se manifeste par une dépression, de la somnolence diurne et des insomnies.

En effet, comme nous l'avons dit précédemment, la lumière, du fait de l'alternance du jour et de la nuit, régit nos cycles de veille et de sommeil par l'intermédiaire de la sécrétion de mélatonine. En automne et en hiver, la baisse de l'ensoleillement entraîne une augmentation de sécrétion de cette hormone durant la journée et une mauvaise régulation durant la nuit, qui est, de plus, souvent altérée par la lumière artificielle. D'où l'apparition du TAS.

Il semble donc logique pour bien dormir de vivre sous une lumière vive pendant la journée et dans le noir, au moins relatif, durant la nuit.

La luminothérapie propose différents équipements qui permettent de se réveiller sous un lever de soleil d'été et de se surexposer à la lumière pendant 15 à 30 minutes dans la journée.

Ces procédés simples et sans danger permettent parfois de vaincre des insomnies saisonnières.

Les cliniques du sommeil

Elles se sont développées en France depuis une vingtaine d'années, aussi bien à l'hôpital public que dans le secteur privé. Leur but est d'effectuer, à l'aide d'une observation clinique approfondie sous le contrôle d'appareils d'enregistrement de plus en plus sophistiqués, un diagnostic le plus objectif possible du trouble du sommeil. La recherche du diagnostic différentiel est privilégiée afin de détecter les maladies du sommeil (*cf.* p. 87-93) qui ne sont pas des insomnies.

Il faut insister sur le fait qu'il n'est pas souhaitable que n'importe quel patient insomniaque consulte dans ces lieux de haute technologie. La démarche de tout insomniaque passe donc d'abord par son médecin généraliste, qui saura lui indiquer un spécialiste si cela est nécessaire.

La stratégie

Pas d'hypnotiques

Pour les insomnies qui ne sont pas liées à une maladie diagnostiquée comme la narcolepsie ou les apnées du sommeil, l'artillerie thérapeutique lourde des médicaments hypnotiques de synthèse ou des méthodes d'assistance plus ou moins sophistiquées doit être oubliée au profit de toutes les autres méthodes, à cause du risque d'accoutumance.

Tous les médecins sont d'accord sur ce point. On ne doit utiliser ces remèdes que sur une prescription toujours la plus brève possible, pour aider le patient à passer un cap difficile, pour lui redonner confiance et induire les moyens de lutter par ses propres moyens.

Prévention et automédication

Les insomnies ne sont jamais graves d'emblée. Cela commence toujours par une dégradation partielle et épisodique du sommeil. Dans l'immense majorité des cas, on devrait pouvoir éviter le passage à une insomnie chronique par une prévention personnalisée qui met l'accent sur l'hygiène de vie et sur une automédication sans risque.

L'apparition de troubles du sommeil doit immédiatement déclencher un processus d'analyse pour mettre en évidence les causes probables : un changement inattendu dans la vie, un événement nouveau, un souci, un stress, une angoisse, un conflit ou une accumulation progressive d'habitudes perturbantes. Une fois les réponses apportées à ces questions, il faut avoir le courage de prendre les problèmes à bras-le-corps et de tenter d'y apporter une solution, ciblée. Si besoin est, le conseil d'un ami, d'un familier, d'un psychologue ou même de votre médecin, quand il prend le temps de vous écouter, sera le bienvenu.

Douze règles de bon sens

1 – Respecter les portes d'entrée dans le sommeil

Nous l'avons déjà dit, le besoin de dormir est un besoin naturel, physiologique. Notre organisme nous prévient, à certains moments de la journée (souvent vers 14 heures et vers 21 heures), par des signes que nous savons identifier, qu'il est temps d'aller au lit. Nous bâillons, les yeux piquent un peu, nous avons froid, nous nous sentons soudain las, notre attention se relâche. Sauf urgence à rester éveillé, il est préférable de se laisser aller au sommeil.

2 – S'endormir dans le calme

Cela semble un truisme, mais il faut cependant insister : l'heure qui précède le coucher doit être vécue dans le calme ou tout au moins doit-on éviter tout ce qui stresse ou qui stimule fortement nos sens et nos fonctions intellectuelles. L'endormissement en sera certainement favorisé. Pas d'exercices physiques violents et pas d'efforts de concentration sur des problèmes à résoudre d'ordre professionnel ou familial !

3 – Haro sur les décibels

Le bruit est l'ennemi du sommeil. Même si notre cerveau nous permet d'avoir un grand pouvoir d'adaptation envers cette terrible nuisance qui devient de plus en plus fréquente, s'endormir dans une ambiance bruyante est synonyme de sommeil médiocre. Il est tout aussi désagréable d'être réveillé par les bruits de l'environnement, qui peuvent, s'ils sont chroniques, être à l'origine d'insomnies. On veillera donc à se protéger contre cette agression moderne.

Malgré les règles imposées en ville, il est fréquent que certains ne respectent pas le repos nocturne de leur voisinage. Il ne faut pas hésiter, alors, à faire respecter la loi.

4 – Éliminer les écrans

Il est préférable de supprimer téléviseurs et ordinateurs de la chambre, qui ne devrait être ni un lieu de travail ni un lieu de spectacle. De plus, sans que cela soit vraiment démontré scientifiquement, on peut craindre que cet environnement électromagnétique ait une influence néfaste sur le sommeil, du moins pour des personnes particulièrement sensibles.

5 – De l'air pur

Les fumeurs devraient s'abstenir totalement de fumer dans leur chambre. Pour leur partenaire et pour eux-mêmes. Il est dans tous les cas recommandé d'ouvrir les fenêtres, quel que soit le temps, au moins 15 minutes chaque jour. Les parfums et produits désinfectants doivent être bannis. Signalons enfin qu'un air trop sec dû au chauffage peut entraîner des gênes respiratoires. Un humidificateur suffit souvent à améliorer la situation.

6 – Une température ambiante adéquate

Il est plus difficile de s'endormir lorsque l'on a ou froid ou trop chaud. Selon les personnes, une température entre 18 °C et 21 °C paraît la bonne fourchette.

7 – Une bonne literie, un mobilier et un décor simples

Une bonne literie représente un atout considérable pour bien dormir. Les sommiers et matelas très fermes sont recommandés.

Quant au décor, sans être obligatoirement spartiate, la chambre devrait être équipée d'un mobilier très simple. Une pièce peu meublée où le lit représente le meuble principal est recommandée. On peut se dispenser des tentures et moquettes qui hébergent des milliards d'acariens, sources d'allergies et de troubles respiratoires.

8 – Ni excitants ni somnifères

Il est de bon sens de supprimer toutes les boissons excitantes comme le thé ou le café au moins quatre à cinq heures avant de se coucher. L'alcool, qui peut provoquer l'endormissement après une certaine quantité ingérée, s'accompagne le plus souvent d'un sommeil de mauvaise qualité.

Même si la tentation de prendre un somnifère est grande après quelques jours de sommeil difficile, il faut toujours refuser d'y céder et s'adresser à son médecin traitant qui est le seul habilité pour cette décision à prendre avec beaucoup de circonspection.

9 – Bilan

Le bilan de la journée ou de la semaine doit être fait avant de se mettre au lit. On peut le faire tranquillement, par écrit par exemple, ce qui calme l'excitation cérébrale, pour évacuer les émotions et préoccupations accumulées.

10 – Des horaires et des rituels

Chaque personne connaît assez bien ses besoins et horaires de sommeil et doit les respecter. Cela peut suffire à rétablir un sommeil perturbé.

Les siestes dans la journée doivent se situer de préférence en début d'après-midi et ne pas être trop longues (30 minutes maximum), au risque de gêner l'endormissement du soir.

Parfois, des rituels très personnels de coucher peuvent favoriser l'entrée dans le sommeil. Pourquoi s'en priver ?

11 – Les câlins

Même si les câlins du soir présentent un certain niveau d'excitation et d'activité, la détente qui les suit et très favorable à l'endormissement. Pourquoi y renoncer ?

12 – Gérer les insomnies

Lorsqu'une insomnie survient, même en milieu de nuit, il n'est pas nécessaire de rester au lit pour se morfondre en attendant l'endormissement. Il est bien préférable de se lever, d'aller manger quelque chose de chaud ou de lire pendant une heure.

Tous ces conseils sont à mettre en œuvre avant d'utiliser les différentes pratiques d'automédication.

DIX PRÉCAUTIONS POUR LES ENFANTS

La plupart des enfants ont un bon sommeil tant que les parents, par leur comportement, ne l'ont pas perturbé. Il faut donc essayer de respecter quelques règles.

1. Ne pas coucher les enfants trop tard et donc les habituer à respecter leur rythme de sommeil.

2. Ne pas les réveiller n'importe quand, en plein milieu d'un cycle de sommeil.

3. Ne pas les réveiller trop brusquement.

4. Ne pas éclairer brutalement leur chambre au milieu de leur sommeil.

5. Leur laisser une petite lumière douce si cela les rassure.

6. Laisser la porte entrouverte si cela les apaise.

7. Leur laisser leur doudou, qui les aide à trouver le sommeil.

8. Leur raconter une histoire ou leur chanter une chanson.

9. Laisser lire les plus grands un quart d'heure avant d'imposer le sommeil.

10. Ne pas oublier de baisser la télévision.

L'AUTOMÉDICATION

L'automédication à l'aide de remèdes régulateurs des fonctions et de l'énergie du corps est un complément très utile à l'introspection et aux règles de bon sens. À cet égard, les remèdes de phytothérapie, d'homéopathie et de nutrithérapie apportent une contribution remarquable pour autant que l'on respecte les modalités de leur utilisation. Ils n'agissent pas comme des somnifères mais apaisent en aidant aux régulations des grandes fonctions de l'organisme.

Les plantes en première intention

La phytothérapie est particulièrement simple à mettre en œuvre. Quoi de plus banal qu'une tisane ? Si cela vous rebute de faire chauffer de l'eau pour y plonger un sachet, vous pouvez acheter des gélules de plantes. Ce livre vous en propose un panel très complet. Essayez-les et essayez aussi des associations. Il existe également des spécialités qui regroupent plusieurs d'entre elles. Chacun peut trouver le ou les remèdes qui lui conviennent. Et cela vous oblige à vous occuper de votre insomnie, c'est-à-dire à vous prendre en charge.

L'homéopathie en renfort

La pratique de l'homéopathie demande un effort supplémentaire, de compréhension des formes des remèdes, de leurs modalités d'utilisation et de choix. Si vous êtes complètement néophyte, faites-vous aider par une personne expérimentée de votre entourage ou consultez un médecin homéopathe.

Très souvent, l'association à la phytothérapie est synergique et vous serez étonné des résultats.

La nutrithérapie d'équilibre

Les micronutriments ont peu de spécificités concernant le sommeil. Mais, comme je l'ai longuement expliqué plus haut, ils participent dans toutes nos cellules à l'équilibre métabolique. On doit donc leur accorder une place croissante dans la nutrition en général et ils participeront ainsi à vous remettre en harmonie lorsque les troubles du sommeil désorganisent votre vie et parfois même votre alimentation.

Conclusion

Chaque système vivant est un édifice complexe, élaboré selon un plan précis. Sur le plan structural, vu de l'extérieur, le splendide morceau d'architecture qui en résulte peut être, pour une part, comparé à un édifice à plusieurs voûtes, un peu comme dans les plus belles cathédrales. Mais il faut, en plus, imaginer l'intérieur, où ce n'est plus la rigidité cristalline de la pierre qui règne, mais un grouillement moléculaire d'une complexité immense qui à chaque microseconde régit l'équilibre et l'harmonie de l'ensemble.

Il faut donc, pour commencer à comprendre les mystères du vivant, tenter d'imaginer des clés de voûte à la fois statiques, parce qu'elles perdurent durant plus d'une centaine d'années pour l'homme, et dynamiques, parce qu'elles sont modulées et remodelées en permanence pour vibrer en harmonie avec cet ensemble prodigieux.

Le sommeil serait l'une de ces clés de voûte nécessaires au maintien de l'édifice.

Sans sommeil, la vie s'effondre, l'édifice meurt plus ou moins rapidement.

Si le sommeil est mauvais, l'édifice se délite partie par partie parce que chacune des cent mille milliards de cellules de notre corps est en permanence tributaire des autres.

Chaque personne devrait donc se sentir suffisamment responsable de son être pour n'en négliger aucun des aspects, aucun des compartiments. Singulièrement, le sommeil en est une des fonctions essentielles. Il faut donc être vigilant, le tenir à l'œil en quelque sorte, même s'il y a bien là un paradoxe à résoudre puisque le sommeil, par essence, nous entraîne dans l'inconscience.

Notre civilisation technique et scientifique a certes généré beaucoup de confort et créé les moyens d'éloigner les menaces les plus pressantes sur la survie de l'homme, mais induit, en même temps, un mode de vie qui perturbe sa physiologie et le rend à nouveau vulnérable autrement. Les insomnies font partie de ces « effets secondaires » de la modernité.

Ce que nous avons gagné en performances, ne le perdons-nous pas en accidents de tous ordres, accidents du travail, accidents de la route et gaspillage de notre temps – ce qui, du fait des fatigues induites, nous impose de « récupérer » dans l'angoisse et le stress ?

Le tableau est sans doute un peu noir, mais il faut avoir le courage de reconnaître que nous sommes loin de maîtriser tous les effets secondaires de nos inventions.

Le sommeil et ses troubles devraient être un moyen de mesurer l'état psychosomatique d'un groupe humain. Pour cela, il faut que se développe une véritable médecine du sommeil. Nous n'en sommes qu'au début, mais le processus semble bien engagé depuis les nouvelles mesures prises par le ministère de la Santé.

Bibliographie

Les Médicaments du sommeil, coll. « Les dictionnaires pratiques », Vidal, 2006.

Dr Jean-Claude Houdret, *Bien dormir sans se droguer*, Solar, 2005.

Dr Michel Jouvet, *Le Château des songes*, Odile Jacob, coll. « Poches », 1992/2006.

Dr Michel Jouvet, *Le Sommeil et le Rêve*, Odile Jacob, coll. « Poches », 1992-2000.

Dr Patrick Lemoine, *Insomnie*, Larousse, coll. « Guides santé », 2006.

Dr Charles M. Morin, *Vaincre les ennemis du sommeil*, Marabout, 2000.

Science et avenir, octobre 2002 : « L'anatomie des rêves ».

Science et avenir, septembre 2006 : « Les mystères du sommeil ».

Science et vie, numéro hors série de septembre 2002 : « Le sommeil ».

Dr Danielle Teszner, *Savoir dormir*, Flammarion, 2004.

TABLE DES MATIÈRES

PROLOGUE

Un programme révolutionnaire 11

Le sommeil, pourquoi ? 12

COMPRENDRE LE SOMMEIL

Sommeil et rêves à travers l'histoire 15

L'Antiquité 15

Deux mille ans d'expectative 15

L'époque moderne 16

Les premiers pas 16

Les microcapteurs 17

La biologie moléculaire 17

L'imagerie cérébrale 17

Le sommeil des hommes célèbres 18

Napoléon 18

Paul Deschanel 19

Winston Churchill 20

Marcel Proust 20

Veille et sommeil 21

Une nécessité vitale 22

Définir le sommeil 22

Dormir ou mourir 22

Stades, cycles et rythmes 23
Les trois périodes du sommeil 24
L'éveil 24
Le sommeil à ondes lentes ou sommeil lent 25
Le sommeil paradoxal (SP) 26
Les cycles et les rythmes du sommeil 27
Les cycles 27
Les rythmes 28
Une nuit normale 29
La durée du sommeil 31
Gros et petits dormeurs 31
L'heure du réveil et du coucher 33
Les bons et les mauvais dormeurs 34
Le sommeil selon l'âge 35
Dans l'utérus 36
Le nouveau-né 37
Le sommeil calme 37
Le sommeil agité 37
L'état de veille calme 38
L'éveil agité avec ou sans pleurs 38
Entre 1 et 6 mois 39
Entre 6 mois et 4 ans 40
De 4 à 12 ans 40
L'adolescent 41
L'adulte 42
Le sommeil prend de l'âge 42
La régulation veille/sommeil 44
La régulation du cycle 45
La régulation endogène 45
Les synchronisateurs 46
La perturbation du cycle 47

Autres modalités du sommeil 48
Y a-t-il une heure pour s'endormir ? 48
La sieste 49
Sommeil et compétition sportive 50
Sommeil et voyage 52
Conseils pratiques 52
Sommeil et travail posté 54
Privation de sommeil et compensation 55
Les effets 55
Les compensations 55
Sommeil et nutrition 56
Le somnambulisme 58
Les causes 59
Le traitement 59
Conseils pratiques 60
Le sommeil et les rêves des non-voyants 60
Comment dorment les non-voyants ? 60
Comment rêvent les non-voyants ? 61
Le sens du sommeil et des rêves 61
La récupération physique 61
Le repos du cerveau 62
Autres fonctions du sommeil 63
Sommeil et mémorisation 63
Peut-on ne pas rêver ? 64
Terreurs nocturnes et cauchemars 64
À quoi servent les rêves ? 65
Le sommeil des animaux 66
Tous les animaux dorment-ils ? 67
Le temps de sommeil des animaux 68
Le sommeil des oiseaux 68

Le sommeil des mammifères 69
Les animaux rêvent-ils ? 70
Existe-t-il des animaux atypiques ? 70
L'hibernation est-elle un sommeil ? 71

Comprendre l'insomnie

Définir l'insomnie 73
L'insomnie transitoire 74
Les insomnies chroniques 74
L'insomnie chronique d'origine physique 75
L'insomnie chronique d'origine psychique 75
L'insomnie persistante primaire 75

Les modalités de l'insomnie 76
Les incertitudes sur l'endormissement 77
L'insomnie de réveil en milieu de nuit 78
L'insomnie de réveil trop matinal 78
La fatigue au réveil 79

Quelques causes d'insomnies 79
Des causes déclenchantes 79
Le bruit 79
L'obscurité et la lumière 81
L'hyperactivité 81
Les conflits 81

Des causes favorisantes 82
La douleur et la maladie 82
La dépression 83
La fatigue 83
Le stress, l'anxiété et l'angoisse 83
L'alcoolisme 84
Les médicaments et les toxiques 84
Le terrain génétique 85

L'insomnie : symptôme ou maladie ? 85
La médecine classique 85
Les médecines alternatives 86
L'homéopathie 86
La nutrithérapie 86
La phytothérapie 87
L'acuponcture et les médecines énergétiques 87

Les maladies du cycle veille/sommeil 87
La narcolepsie 87
La catalepsie 88
Les hallucinations hypnagogiques 89
Les paralysies du sommeil 89
Les apnées du sommeil 89
Traiter le SAS 91
Les ronflements 92
Le bruxisme 93

Le diagnostic de l'insomnie 93
Évaluer son insomnie 93
Les rôles du médecin et du psychologue 94

TRAITER L'INSOMNIE

Avant toute médication 95
Traiter les causes 95
Assurer l'hygiène du sommeil 95
Gérer son insomnie 96

Les médicaments conventionnels 97
Les hypnotiques 98
Les barbituriques 98
Les neuroleptiques sédatifs 99

Les antihistaminiques 99
Les antidépresseurs 99
Les indications 100
La posologie et les précautions 100
Les effets secondaires 100
La dépendance, le problème majeur 101
Le sevrage 102
Les contre-indications 102

Les autres remèdes 103
L'homéopathie 103
Homéopathie et prévention 105
La présentation des remèdes 105
La dilution des remèdes 106
L'application à l'insomnie 106
La posologie et le rythme des prises 107
Le choix du remède et de la dilution 107
La phytothérapie 114
Comment utiliser les plantes 116
Phytothérapie et troubles du sommeil 121
Quelles plantes utiliser ? 121
Les spécialités en phytothérapie 152
La nutrithérapie 153
Les micronutriments 154
Nutrithérapie et prévention 162
Nutrithérapie et troubles du sommeil 163
La mésothérapie 167

Les traitements non médicamenteux 167
L'acupuncture et les médecines énergétiques 167
La photothérapie, ou luminothérapie 170

Les cliniques du sommeil 171

La stratégie

Pas d'hypnotiques 173
Prévention et automédication 173
Douze règles de bon sens 174
Dix précautions pour les enfants 178
L'automédication 178
Les plantes en première intention 179
L'homéopathie en renfort 179
La nutrithérapie d'équilibre 179

Conclusion 181

Bibliographie 183

Pour l'éditeur, le principe est d'utiliser des papiers composés de fibres naturelles, renouvelables, recyclables et fabriquées à partir de bois issus de forêts qui adoptent un système d'aménagement durable.

En outre, l'éditeur attend de ses fournisseurs de papier qu'ils s'inscrivent dans une démarche de certification environnementale reconnue.

Photocomposition Nord Compo.

Imprimé en Espagne par Liberduplex.

Pour le compte des Éditions Marabout.
Dépôt légal : Février 2008
ISBN : 978-2-501-04198-0
40.9192.2
Édition 01